La memoria

875

Marco Malvaldi

La carta più alta

Sellerio editore
Palermo

2012 © Sellerio editore via Siracusa 50 Palermo
e-mail: info@sellerio.it
www.sellerio.it

2012 gennaio seconda edizione

Malvaldi, Marco <1974>

La carta più alta / Marco Malvaldi. - Palermo: Sellerio, 2012.
(La memoria ; 875)
EAN 978-88-389-2608-2
853.914 CDD–22

CIP – *Biblioteca centrale della Regione siciliana «Alberto Bombace»*

La carta più alta

*A Piergiorgio, Virgilio, Mimmo, Rino, Daniele,
e a quel tipo di amicizia che nasce spontanea
semplicemente riconoscendosi come simili*

Tre cose solamente mi so 'n grado,
le quali posso non ben men fornire:
ciò è la donna, la taverna e 'l dado;
queste mi fanno 'l cuor lieto sentire.

CECCO ANGIOLIERI

Prologo

Sarebbe stato tutto perfetto.

In piedi, di fronte alla finestra aperta, Massimo rimirava il suo pratino rasato di fresco. A piedi nudi, tazzina in mano, il caffè ancora troppo caldo per tentare di berlo, il nostro stava approvando orgoglioso con lo sguardo il risultato del proprio lavoro.

Sì, sarebbe stato tutto meraviglioso.

Tagliare l'erba richiedeva di svegliarsi un'oretta prima del solito, certo; ma i dieci minuti successivi alla fine dell'impresa erano una goduria. Dopo aver passato la falciatrice e rifilato i bordi, quindi, Massimo si era preparato il caffè e si era messo davanti alla finestra aperta, mentre l'aroma dell'erba appena tagliata gli rinfrescava le narici. Mattina serena, odore di fresco e di pulito, e un bel pratino ordinato da guardare.

Massimo non aveva mai avuto un giardino; né da piccolo, quando abitava con la mamma e i nonni in una triste palazzina liberty nel centro di Pineta, né da grande, quando si era sposato ed era andato a vivere a Pisa, nello storico e cupissimo quartiere di San Martino. Né in seguito, peraltro: dopo aver divorzia-

11

to dalla sua ex moglie (quella maiala) aveva mantenuto la residenza in San Martino, ma si era di fatto trasferito a vivere al bar. A casa ci dormiva (sul divano, per lo più), ci giocava alla PlayStation (sempre lì) e ci guardava le partite di Champions League con qualche sporadico amico e la quattro stagioni d'ordinanza (vedi sopra).

Poi, l'anno prima, accompagnando la sua ex e mai troppo rimpianta banconista, Tiziana dai capelli ramati e dalle puppe spettacolari, si era imbattuto in quella bifamiliare vicino al mare. Ed era scattato qualcosa. Principalmente per il giardino. Perché la casa aveva un finestrone enorme, a tutta parete, che si affacciava su un giardino circoscritto da dei muri alti il giusto, né così tanto da togliere luce né così poco da permettere agli altri di guardarti in casa. E lì, oggi, Massimo sorseggiava compiaciuto il primo caffè della giornata, guardando il prato come una gatta guarda i suoi gattini. Come tutte le mattine.

E, come tutte le mattine, mentre Massimo accarezzava il manto erboso con lo sguardo, dalla parte superiore della villetta si udì un lieve ma familiare schiocco, seguito immediatamente da uno sfrigolìo vivace; e, nel giro di qualche secondo, un denso e ineluttabile puzzo di fritto incominciò a prendere possesso dell'appartamento. Massimo alzò gli occhi al cielo e, a sua volta, accese qualcosa: il primo moccolo della giornata, per essere precisi.

Sarebbe stato tutto fantastico, se non fosse stato per il Gorgonoide.

Il Gorgonoide era un essere vivente che assommava su di sé tutte le caratteristiche che, dal punto di vista di Massimo, una persona doveva possedere per risultare molesta. Innanzitutto, era una femmina, anche se solo ed esclusivamente a livello di anagrafe; poi, era la sua vicina di casa. Ma questi aspetti, pur se fastidiosi, sarebbero stati facilmente superabili, se questa persona fosse stata una trentacinquenne dal sorriso radioso, dal saluto allegro e possibilmente trombabile. Purtroppo, la persona in questione era un comodino di un metro e cinquantacinque con una ghigna da incrinare i vetri, che presumibilmente non aveva mai salutato nessuno in vita sua: una cosa antropomorfa di aspetto gretto, sempre in vestaglia e pantofole, la cui attività principale, oltre ad urlare dietro ai figli in un incomprensibile dialetto del centrosud, era quella di friggere dalla mattina alla sera.

Cosa friggesse, Massimo non lo sapeva: cocci di bottiglia, forse, vista la faccia. In che cosa friggesse, Massimo se lo era chiesto spesso: grasso di mammut, probabilmente, visto l'odore. Ma sul quando, Massimo ormai lo sapeva fin troppo bene. Dall'alba al tramonto, d'inverno come d'estate, feriale o festivo, non c'era differenza: tutti i giorni, prima o poi (e, quasi sempre, prima) l'appartamento di Massimo si trasformava in una camera a gas.

Dopo un inutile tentativo di contrastare il graveolente effluvio con un sorso di caffè, Massimo si era diretto verso la doccia, rassegnato.

Andiamo al bar, che è meglio.

Inizio

In una località balneare le cose cambiano continuamente.

Un tempo, a Pineta, gli stabilimenti balneari erano solide e funzionali costruzioni in cemento armato, apparentemente ispirate ai concetti estetici dell'architettura sovietica: dei dadoni grigi e tetri collegati allo stradone principale da un accesso in asfalto, che portava ad un parcheggio sterrato, sorvegliato (si fa per dire) da un custode in zoccoli e canottiera, solitamente il cugino scemo del proprietario, la cui unica attività era aiutare il cliente nella manovra di posteggio, e che passava il resto della giornata trincerato dietro un muro di carta rosa.

Oggi, invece, gli stabilimenti balneari sono naturali ed ecosostenibili, belli a vedersi e a toccarsi; vi si accede a piedi, lungo un camminamento di legno, e di legno è tutto il resto della costruzione. Al posto del parcheggio c'è un cocktail bar, e se al suo interno cercaste la «Gazzetta» restereste delusi. Sulla spiaggia si vedono giovani, meno giovani e diversamente giovani che parlano di Santo Domingo, delle Maldive, di Bali e della California, e chissà come mai tutti gli anni te li ritrovi fra le palle a Pineta. Comunque, il legno è più gradevole del cemento, e questo cambiamento non è certo un male.

Anche il resto del paese è cambiato, nell'offerta al turista: estinte piano piano le pizzerie a taglio, scomparsi per pensionamento del gestore i barrini col bancone di marmo e i tavoli di fòrmica, adesso per tutto il paese sorgono una miriade di locali in franchising. C'è il sandwich bar a km zero, che utilizza solo ed esclusivamente prodotti del territorio, e nonostante questo è capace di offrirti nel menù il bocadillo al pescespada. C'è la gelateria ayurvedica, che offre solo prodotti naturali e quindi, secondo una implicita logica distorta, salutari e benefici; ci sono persone convinte, evidentemente, che l'oppio non si estragga dal papavero, che veleni come l'atropina e il curaro siano stati sintetizzati in laboratorio e che non avrebbero nessuna obiezione ad una dieta a base di rabarbaro.

Tutti questi locali fanno un larghissimo uso della cosiddetta maieutica della fiducia: ovvero, ognuno di questi posti è tappezzato di cartelli nei quali viene svelato al cliente il motivo per cui, di quell'esercizio, ci si può fidare. Perché i nostri gelati hanno una consistenza così soda? Perché non usiamo grassi idrogenati, ma solo ingredienti naturali. Come mai le vostre borsette costano così tanto? Perché non facciamo uso di lavoro minorile: i nostri arredi e i nostri gadget sono fatti in Cina da operai privi di qualsiasi diritto sindacale, ma rigorosamente maggiorenni. Come mai le tovagliette hanno questo colore strano? Perché sono fatte di carta igienica riciclata, così hanno un minore im-

15

patto sull'ambiente. In questo modo, il cliente è consapevole che il proprio pasto, oltre che genuino e dieteticamente inappuntabile, non ha richiesto l'abbattimento di un singolo albero, e si sente immediatamente più giusto e più buono.

Anche Massimo, volente o nolente, si è dovuto adeguare. Per cui, il bar è stato rifatto di sana pianta, in modo radicale. Estirpato il bancone di legno maròn e piano in finto marmo con la targhetta di ottone «D'Anteo Licurgo – Arredi per la ristorazione – Navacchio (PI)», e messo in opera un magnifico lingottone di legno scuro e metallo brunito che a pulirlo ci vuole il doppio, ma è tutta un'altra cosa. Mandata in pensione la vetrinetta per le paste con l'apertura dal davanti, il cui posto è stato preso da una teca ultratecnologica in vetro con tanto di faretti led che esaltano il colore del croissant. Abolita la specchiera con pubblicità della Ceres che raddoppiava la bruttezza del locale e installato un magnifico specchio con il logo «BarLume» scritto in lettere satinate. Ci sono state altre migliorie, ma la sostanza è che adesso quando uno entra al BarLume non sente più il bisogno di toccarsi le palle.
Alcuni cambiamenti sono stati solo estetici: per esempio, la frutta fresca con cui Massimo prepara i succhi e le granite non è più tenuta prigioniera in magazzino, ma esposta in bellavista dentro una cassetta di legno, e nei momenti in cui il bar è deserto allietata con una bella passata di acqua fresca grazie ad un piccolo spruzzatore, così è molto più appetibile. Altri cambiamenti, inve-

ce, sono stati evitati: per cui, accanto al registratore di cassa c'è ancora un mazzo da quaranta carte, così che al momento di pagare Massimo può proporre al cliente di giocare alla carta più alta. Se la prende il cliente, non paga; se la pesca Massimo, paga doppio.

Per seguire le tendenze fino in fondo, Massimo si è perfino sforzato di rendere edotto il proprio cliente delle particolarità del locale con quella tecnica di cui prima si parlava. Per cui, adesso, nei punti focali del Bar-Lume campeggiano vari pannelli che illustrano, con un rassicurante carattere Helvetica corpo ottanta, le varie caratteristiche dell'esercizio. Sotto il banco con le piastre dei panini («Perché questi panini sono così buoni? Perché benedico personalmente tutti i prosciutti ogni mattina»), vicino all'estremità sud del locale («Cerchi il cesso? È in fondo a destra, come tutti i cessi che si rispettino») e perfino accanto al tavolo sotto l'olmo («Ma perché questi vecchiacci devono restare a questo tavolino tutto il giorno? Vorrei tanto saperlo anch'io»).

Perché non c'è niente da fare. Può cambiare il paese, può cambiare il bar, e il mondo potrebbe anche cambiare verso di rotazione: ma tutte le mattine che Loro Signore mette in terra (Massimo è ateo) si può star certi che, uno alla volta o tutti insieme, i quattro reduci del Novecento arriveranno e si installeranno sulle loro poltroncine. E da lì, semplicemente, non ce li schiodi più.

Anche stamattina, per esempio, tre dei quattro anziani ragazzi sono già con le zampe sotto il tavolo

17

dalle otto: guardinghi, però, ed insolitamente taciturni. Da qualche parte, presumibilmente nel retrobottega, ci dev'essere anche Massimo il barrista, di cui però al momento si sente solo la voce, visto che sta parlando al telefono. Anzi, sarebbe meglio dire ascoltando, dato che il suo interlocutore parla molto più di lui.

– Sì, ho capito. Ma guardi, signora, che io...
Silenzio forzato.
– No, ascolti, la prego. Io non ci posso fare nulla, signora. Vediamo di essere chiari: questo è un bar, non è una stazione termale. Se uno entra e vuole un panino con lo stinco di maiale, io glielo preparo e glielo servo. È il mio lavoro.
Silenzio prolungato.
– Il cappuccino è un altro paio di maniche. È questione di civiltà, non di salute. E comunque... Sì. Sì. Va bene, signora, ho capito. Adesso glielo dico. Sì. Va bene. Auguri anche a lei.
Massimo uscì dal bar, con in mano un vassoio vuoto. Arrivato al tavolo sotto l'olmo, iniziò a mettere sul vassoio le tazzine usate e intanto chiese:
– Pilade, ma una moglie più rompicoglioni di come è lei come ha fatto a trovarla?
– Chi si somiglia si piglia – disse il Rimediotti. – Anche la tua di moglie 'un era male, vero, Massimino?
– Primo, non stiamo parlando di me. Secondo, sono alto trenta centimetri più di lei. Massimino lo dice a qualcun altro.

L'imputato, ovvero Pilade Del Tacca, si strinse nelle spalle piccole e lardose con fare fatalista.

– Povera donna, lei fa il mestiere suo. Però, guarda, dopo che sono andato dar dottore è diventato un tormento.

In quel momento, mentre Pilade parlava, era arrivato Ampelio. Che non perse tempo.

– Sei andato dar dottore? Bravo scialucco. E cosa t'ha detto?

Il Del Tacca si voltò verso Ampelio, e disse con aria solenne:

– M'ha messo a dieta.

– Boia, allora è un luminare. Sei arto come una damigiana e pesi come un canterale, cosa volevi, lo sciroppino? Capace l'hai anche pagato.

– Mah, dice che è per ir còre – disse Pilade accendendosi una Stop. – M'ha detto che dovrei perdere venti chili prima che si pòle.

– Tagliati una gamba – suggerì Ampelio. – Per quel che ti servano...

– E ora la mi' moglie rompe i coglioni da du' giorni – disse Pilade ignorando il suggerimento. – A tutti. Ha appena telefonato qui per dire a Massimo... cosa t'ha detto, di preciso?

– Niente cibo, niente alcolici, niente caffè. E di non farla fumare.

– E te cos'avresti intenzione di fare?

– Io? Io sono un barrista. Per impedire a Pilade di mangiare ci vorrebbe di prendere Chuck Norris e farlo laureare in dietologia.

Massimo si diresse verso la macchina del caffè, tanto Ampelio a quest'ora cosa vuoi che voglia, chiedendo a scanso di equivoci:

– Ti faccio il caffè, nonno?

– Vai, bimbo, grazie. E sicché la tu' moglie se ne sarebbe accorta ora che sei grasso?

– Ma figurati. Son tutti vesti discorsi che si sentano alla televisione. Sembra che ora i vecchi non esistan più. Vedi gente d'ottant'anni che fa la maratona, gente di novanta che fa i rèlli, donnine di cent'anni che si buttano cor paracadute...

– Badalì – disse Ampelio. – Anche se ti stampi in terra hai perzo pochino.

– ... e sembra che se ciai ottant'anni devi vive' come se tu fossi giovane per forza – concluse Pilade. – Io sono vecchio, Dio bono. Sono vecchio e sono grasso, perché a me mangia' m'è sempre garbato, e continua a garbammi.

– De', ma se è per la salute... – tentò il Rimediotti.

– Se è per la salute, pace. Quando sarà 'r momento tirerò il calzino. Però di vive' da malato per poi mori' sano 'un ce n'ho punta voglia. A cosa serve, a presentammi in forma ar Centro Trapianti?

Pilade spense senza garbo la fetentissima sigaretta e si versò una generosa dose di amaro, tanto per chiarire. Quindi, riprese:

– Io sono vecchio, e voglio vive' da vecchio. Oramai di soddisfazioni nella vita 'un ce n'ho guasi punte, e quelle poche me le voglio gode'. Se c'è gente che a ottant'anni gli garba anda' a donne e scala' le montagne, padronissimi: a me m'importa una sega. A me mi garba mangiare e bere, e contenti tutti.

E il tono non ammetteva repliche. Io sottoscritto Pilade Del Tacca, nel pieno (e bello pieno) delle mie facoltà fisiche e mentali, qui manifesto la ferma intenzione di mantenere invariato il mio tenore di vita, e conseguentemente il mio girovita da tenore, e chiunque tenti di interferire col mio proposito verrà cortesemente invitato ad andare in culo. Il lardo è mio, e lo gestisco io.

– Bravo – disse Aldo con un accenno di sarcasmo. – Ora però toglimi una curiosità: te dove mangi tutti i giorni, pranzo e cena?

– De', a casa.

– E chi cucina a casa tua?

– De', la Clelia.

– Eccoci. Qui ti volevo. E chi era in questo momento al telefono?

Mentre l'orrenda verità si faceva spazio nel Del Tacca, Aldo concluse:

– E te credi che una come tua moglie continui a farti mangiare con la vanga tutti i giorni, pranzo e cena? Mi vorresti dire che ora quando torni a casa trovi la pasta al forno invece della robiolina?

Quando sei all'angolo, attacca. Come diceva Schopenhauer, quando ti sputtanano e non hai la minima possibilità di difenderti con argomenti logici, la miglior strategia consiste nel prendersela direttamente con il tuo accusatore e con le sue magagne più evidenti, cambiando così l'oggetto del contendere dai tuoi problemi ai suoi.

Pilade, pur ignorando la filosofia tedesca nella sua interezza, era arrivato alla stessa conclusione nel corso della sua ossimorica carriera di lavoratore comunale, e non si contavano le volte in cui, accusato a vario titolo di non fare un cazzo dalla mattina alla sera, si era difeso con successo pigliando tranquillamente per il culo il proprio accusatore.

– Ho capito – disse Pilade. – Allora facciamo che da domani vengo a mangia' pranzo e cena al ristorante da te. Sempre che tu riesca a riapri' per domani, s'intende.

E questa era una vera carognata.

Tre mesi prima il Boccaccio, il ristorante in cui Aldo esercitava le sue mansioni di ristoratore, aveva preso fuoco una notte all'improvviso, e in modo non esattamente casuale. Concorrenza sleale o mafia russa, non si sa: fatto sta che Aldo si era ritrovato senza ristorante e con cinque dipendenti sul gobbo, ai quali continuava regolarmente a pagare lo stipendio in attesa di riscuotere, a Lui piacendo, l'indennizzo delle due o tre assicurazioni che aveva stipulato sul proprio amato localino.

– Sai, ripensandoci, a te un infartino ti ci starebbe bene – disse Aldo senza scomporsi. – Io sto solo cercando di capire se posso fidarmi o meno.

– E questo s'è capito – lo rassicurò Pilade. – Oramai è un mese che ci rompi i coglioni con questa novella. Però se continui a parla' e non movi un pelo, sarà difficile che tu ottenga quarcosa. Sai, a diventa' ricco meditando c'è riuscito solo Sai Baba.

– Ho capito. E allora, secondo te, cosa faccio?

– Mah, potresti anda' 'n penzione... – accennò Ampelio.

– No, Ampelio, non ci siamo capiti. Io, finché non riesco a lasciare il ristorante in mano a qualcuno che lo faccia andare come dico io, in pensione non ci vado.

– Ho capito. Ma perché ti vòi anda' a infognare con quelli di Villa del Chiostro, che è tutta gente che il più pulito cià la rogna, non ci arrivo.

Aldo sospirò.

Se non siete nuovi del posto, saprete benissimo che tentare di spiegare ad Ampelio qualcosa che vada oltre alla tattica da adottare per vincere la Milano-Sanremo senza incontrare delle difficoltà è qualcosa che non è dato vedersi su questa terra. Per Ampelio Viviani, ottantacinquenne ex ferroviere con la passione per il ciclismo e per i fattacci altrui, non c'è praticamente niente che non possa e non debba essere messo in discussione.

Oltretutto, Aldo stava dicendo ad Ampelio che non aveva voglia di andare in pensione: e una affermazione del genere non poteva essere fatta, né a lui né davanti agli altri due espertoni della vita, senza incorrere in una severa disapprovazione. A parte Aldo, infatti, tutti gli altri giovincelli hanno da tempo festeggiato il cosiddetto «doppiaggio», ovvero il fatto di aver passato più anni in pensione che a lavorare: una di quelle tradizioni italiche d'altri tempi che piano piano sono destinate a sparire, nonostante l'aumento della durata della vita media.

Villa del Chiostro era una antica dimora di un costruttore del luogo, tale Ranieri Carratori, che era stata venduta e ristrutturata per farne un albergo. Poi, in linea coi tempi, l'albergo era stato riconvertito in beauty farm. E funzionava. D'estate come d'inverno, frotte di tardone sciamavano da tutta la Toscana per far massaggiare e restaurare i propri enormi deretani, ostinatamente incapaci di accettare che ormai l'età aveva mollato gli ormeggi e che la legge di gravità non è una di quelle che puoi aggirare con un bravo avvocato. Per amor di verità, da qualche anno a questa parte a Villa del Chiostro si vedono anche parecchi maschietti, che in pubblico sostengono di andare lì ad accompagnare la consorte ma chissà come mai quando escono hanno la manicure fresca di giornata e sono parecchio più abbronzati, anche se è febbraio.

Sta di fatto, comunque, che alla faccia della crisi questo posto funzionava alla grande, e piano piano era diventato un vero e proprio villaggio con tutti i comfort; tanto che il proprietario, tale Remo Foresti, una volta saputo che Aldo era rimasto a piede libero si era fatto vivo e gli aveva proposto di aprire insieme un ristorante dentro la struttura, indipendente da quello già esistente, che funzionasse sia per gli ospiti che per gli esterni. E, da un mesetto, Aldo non ci dormiva la notte.

– Una cosa la so – riprese Aldo dopo un attimo. – Io voglio riaprire, e questo è certo. Le sole due cose che cerco sono una persona intelligente e fisicamente non ripugnante, a cui insegnare a stare in sala, e un bel posto dove rimettere la sala. Ora mi è arrivata questa offerta dal Foresti, e la sto valutando.

Mentre parlava, Aldo allungò la mano con destrezza e prese una sigaretta dal taschino di Massimo, che si era chinato un momento per raccogliere il posacenere. Ormai non le compra più, eh. E m'è andato a fuoco il locale, e ora sono nelle spese, e sto cercando di fumare meno... Fumare meno una sega. Compro un pacchetto da venti al giorno e me ne toccano sei.

– Cioè, in realtà non c'è nulla da valutare – disse Aldo dopo aver acceso il maltolto. – Per come è presentata, l'offerta è ottima. L'affitto è basso, i tempi sono corretti. Lui vorrebbe l'obbligo di apertura nei giorni che dice lui, e aperto tutti i giorni d'estate, e lì se ne deve discutere.

– Il locale com'è? È un po' meglio della catacomba?

– Il locale... innanzitutto, nel Boccaccio non c'era niente che non andava.

– Vero – approvò Massimo. – Locale sicuro, affidabile e di rispetto. Certo, vista l'età del posto ti stupivi che i menù non fossero in etrusco, ma a parte quello...

– Il locale è valido – troncò Aldo con l'aria di chi non sopporta di sentir dire che la defunta moglie gli metteva le corna tutti i giovedì, ma è consapevole di quanto il secondogenito assomigli al fornaio. – Bello, spazioso, con le finestre molto grandi. È un bel liberty. Del resto in quella famiglia sapevano costruire, non c'è che dire, specie nei tempi andati. Poi si erano buttati su altre cose. Però si torna sempre lì col conto: non so quanto posso fidarmi.

– Ma perché, che tipo sarebbe questo Foresti? – chiese Massimo, più per educazione che per reale interesse.

– Te lo ricordi cosa diceva l'avvocato Prisco degli juventini?

– Come no. Quando stringo la mano a un milanista, dopo me la lavo. Quando la stringo a uno juventino, dopo mi conto le dita.

– Esatto, sette più. Ecco, Remo Foresti è uno juventino. Sia alla partita che nella vita di tutti i giorni.

Aldo spense la sigaretta nel posacenere, alzandosi e mettendosi a passeggiare in su e in giù, come sempre quando partiva con i suoi soliloqui.

– Non è uno clamorosamente disonesto, intendiamoci. E non è un farabutto di quelli che sfruttano le persone. Però, è uno che vuole andare sul sicuro. Quando ci sono i soldi di mezzo, se tratti col Foresti, tranquillo che lui non ci perde. Magari guadagnate tutti e due: ma che tu lo freghi è parecchio difficile.

– Ho capito. Però se uno così ti fa mettere il ristorante nel proprio complesso, ci rischia anche lui.

– E questo è vero. Ma sai, possono succedere tante cose. E ci sono tante cose che non so. Tieni anche conto che questo tizio fino a vent'anni fa faceva il carpentiere, e tutto d'un tratto s'è comprato un maniero grosso come un paese. Con quali soldi, non lo sa nessuno. Io non so se è veramente suo, tanto per dirne una. Non so se lui è il prestanome di qualcuno. Non so se dall'oggi al domani mi arrivano i carabinieri e mi sequestrano tutto il complesso.

– De', Ardo, ma questa è paranoia – disse Ampelio.

– Ma cosa paranoia? Ha dimorto ragione – intervenne il Rimediotti. – Siccome 'un succede mai che una

26

mattina un magistrato si arza e decide di indaga' sulla prima cosa che ni passa per ir capo.

Aldo mostrò Gino a mano aperta, come a dire «lo vedi cosa intendo?».

– A me mi sembrate scemi tutt'eddue – disse Pilade con aria solenne. – Comunque, Ardo, la meglio è che tu prenda informazioni. Se vòi, io posso senti' un po' in Comune se c'è quarcuno che mi dice quarcosa.

– Ecco, bravo. Mi faresti un piacere. Massimo, già che sei in piedi, ce le porti le carte?

E, rimettendosi a sedere, chiuse la discussione.

Non vorremo mica fare discorsi seri tutto il giorno, vero?

Due

Cognome: Chiapparini
Nome: Gessica
Nata a Pisa (PI) il 25/3/1985
Residente a Pappiana in via Ho Chi Minh n. 26
Stato civile: nubile

Si parte male.

Massimo si versò un bicchiere di tè freddo e voltò la pagina per accedere alle informazioni successive, dato che il curriculum era scritto in corpo 24 e queste quattro righe, insieme alla fotografia della disoccupata, occupavano il primo foglio per intero. E già questo non deponeva a favore della candidata.

Studi: Diplomata presso l'Istituto Alberghiero «Tognotti» in data 13/6/2006 con la votazione di 65/100.

Diploma di istruttore di Pilates ottenuto presso lo Studio Yoga Pranayama col massimo dei voti.

Lingue parlate: italiano, inglese scolastico.

E si prosegue peggio. Hai preso la maturità a ventun anni, quindi hai trovato modo di farti stiacciare all'alberghiero. E nemmeno una singola volta, si badi. A meno che non t'abbiano bocciato già alle medie, il che non migliorerebbe la situazione. Comunque, una ragazza colta: parlava l'inglese scolastico, mentre Massimo conosceva solo l'inglese britannico. Doveva essere una colonia poco conosciuta.

Massimo voltò la seconda pagina (le cui informazioni, infatti, si esaurivano qui) e passò direttamente alla terza ed ultima.

Molto portata ai rapporti interpersonali di qualsiasi tipo, cosa significa, che la dai a chiunque? *al lavoro di gruppo e alla coordinazione del lavoro tra gruppi. Forte propensione all'organizzazzione* ma non all'ortografia *e alla motivazione del personale.*
Ha 357 amici su Facebook.

No.
Questo è troppo.
Massimo posò il curriculum della povera ex candidata sull'erba tenendolo con due dita, come se potesse infettarlo. Prese il bicchiere di tè, lo guardò, decise che non era abbastanza, gli dette significato con due dita di rum scuro e giù un bel sorso.

Quando aveva deciso di trascorrere il pomeriggio del mercoledì in giardino, a passare in rassegna i curricula delle possibili nuove banconiste, era convinto di aver avuto una splendida idea. L'erba tagliata, la sdraio, una bella caraffa di tè freddo fatto con le proprie manine, un tramezzino al momento giusto e via, a vagliar candidature.

E lì erano cominciati i dolori.

In un italiano da ceci sotto le ginocchia, le candidate si presentavano esibendo diplomi improbabili, esperienze lavorative insignificanti e attitudini personali imbarazzanti.

C'era una che aveva scritto «Non ha mai avuto bisogno di lavorare per vivere, essendo di famiglia benestante»; una che aveva trasformato il proprio curriculum vitae in curriculum puppae, inserendo nella prima pagina una foto in topless; una che aveva ritenuto opportuno dichiararsi militesente; una che aveva scritto, alla voce «esperienze lavorative», di aver partecipato ai provini del Grande Fratello.

Dalle risate iniziali, Massimo era passato piano piano all'indifferenza e poi, rapidamente, alla disillusione, quando si era reso conto che quelli non erano casi particolarmente sfortunati, ma campioni perfettamente rappresentativi della media; e, in un crescendo di sconforto, era arrivato fino al curriculum di Chiapparini Gessica da Pappiana.

Che era l'ultimo.

E non ce n'era uno, dico uno, che andasse bene.

Massimo finì il tè in un lungo sorso, e ripulì il bicchiere con un ulteriore dito di rum.

Già qualche anno prima, nel periodo pre-Tiziana, Massimo aveva avuto modo di misurare in prima persona la distanza che c'era tra la persona descritta nel curriculum e quella in carne e ossa; Massimo si era vi-

sto sottoporre delle domande che, se risultate veritie-
re al cento per cento, avrebbero dovuto essere recapi-
tate a Gualtiero Marchesi, non al BarLume. Chiaramente, o nel colloquio o nella pratica quotidiana, prima o
poi venivano al pettine dei nodi grossi come gomitoli;
ma, almeno, quelle tizie avevano una minima idea di
cosa millantare in un curriculum per far colpo su un
eventuale datore di lavoro.

Queste altre, invece, erano sincere in modo desolante.

Per lo meno, stando in giardino, il mefitico odore di
fritto prodotto dal troll del piano di sopra non si avver-
tiva; questo nonostante la tizia di pomeriggio tenesse aperte tutte le finestre dell'appartamento e, in aggiunta, anche il portoncino di ingresso in cima alle scale.

E anche questo a Massimo non mancava, ovviamente, di dare noia.

Va bene che non lede la mia libertà, va bene che in
casa tua puoi fare quello che ti pare, va bene che se tu
non tenessi aperti tutti i boccaporti prima o poi il tanfo
farebbe saltare in aria la casa; però, Cristo santo, perché dalla strada si deve vedere una bella villettina con
il suo giardinetto curato, tutta ben tenuta e intonacata
di fresco, e come uno alza lo sguardo al piano superiore c'è la mamma di Shrek che sbatte i tappeti?

Va be', dai, Massimo, disse Massimo Bravobambi-
no. Ti lamenti sempre. Sempre il bicchiere mezzo vuoto, vedi. Intanto hai una casa nuova e non devi più pensare a uscire da Pisa in macchina tutte le mattine; non
devi più trovare parcheggio tutte le sere; puoi sve-

gliarti più tardi e passare mezz'ora gratis tra le braccia del dio Sonno, spazzino di tutti i rancori...

Tutto giusto, rispose Massimo alla sua coltissima schizofrenia. Però, intanto, se ti mettono davanti un sontuosissimo piatto, che so, di pasta alla Norma e te lo guarniscono a tradimento con una cucchiaiata di marmellata andata a male, ti incazzi. Quanto più il piatto è allettante e fatto bene, tanto più ti incazzi.

E come per il cibo, così per la casa: basta un piccolo particolare, magari insignificante, però quotidiano, e il posto dove vivi può trasformarsi in una maledizione. Una cosa qualsiasi: vicini che urlano, insulsi canidi che abbaiano, vedovi mancanti di sedici diottrie che ti bloccano sul pianerottolo a mezz'ore informandoti di ogni minimo problema del condominio...

In quel momento, il telefono squillò.

E chi è?

– Pronto – disse Massimo con curiosità.

– Pronto, Massimo – disse una voce nota.

Possibile?

– Tiziana?

– Proprio lei – disse, e ridacchiò. In modo un pochettino forzato, forse.

– Mamma mia. Sorpresona. Dove sei, cosa fai, e tutta questa specie di cose.

– Dove sono, sono qui. A Pineta. Pensavo di venirti a trovare un attimo. Si può?

Se Massimo fosse stato in condizioni normali, grazie a quel minimo di empatia che di solito viene sviluppata dagli esseri umani in fase di rodaggio avrebbe subito capito dalle parole usate e dal tono che questa domanda sottintendeva una richiesta ben precisa, quale non è dato sapere, ma di sicuro Tiziana non veniva per fare due chiacchiere. Massimo infatti, nel suo stato standard, aveva una capacità piuttosto elevata di interpretare i toni e gli atteggiamenti facciali delle persone; ma, quando il nostro parlava con Tiziana, questa attitudine veniva di colpo imbavagliata e messa in cantina, con porta chiusa a doppia mandata.

– Certo che si può. Ci mancherebbe. Vado in giardino a legare il varano, così entri tranquilla.

Una bella risata. Sincera, stavolta.

– Occhèi. A fra poco.

– E quindi, cosa giri da queste parti?

Bella, era sempre bella.

I capelli tagliati più corti, certo, e questo Massimo lo disapprovava: le donne hanno i capelli lunghi, specialmente quelle come Tiziana che hanno una criniera così setosa. Due o tre chiletti in più, forse: ma questo Massimo lo approvava incondizionatamente. Certo, entra Tiziana a casa mia e la prima cosa che noto sono i capelli. Si vede che sto invecchiando.

– Ma niente. Mi sono rimessa a caccia di lavoro, e già che c'ero mi sono detta: perché non chiedere a Massimo?

– Già, perché. Bella domanda. Credo di conoscere la risposta. Non chiedere a Massimo perché non ha ancora aperto un negozio di merletti online, ma continua a tenere un bar, e quindi gli orari di lavoro continuano ad essere sette-sedici oppure sedici-zerouno. Il che, se mi ricordo bene, non è compatibile con il tuo nuovo status di angelo del focolare.

Gaffe.

Madonna che gaffe.

Guance rosse, occhi a terra, gambe che si incrociano. E come se non bastasse, la conferma audio.

– Con il mio vecchio status.

Pausa lunga.

– Mi sono separata.

Pausa breve.

– Posso avere un po' di quello?

Dopo due o tre sorsatine da uccellino al rum, Tiziana incominciò a spiegare. E mano a mano che spiegava, Massimo rimaneva sempre più incredulo.

– Tutti i giorni. Tutti i giorni minimo per due o tre ore, feriale o festivo, pioggia o vento. E nei weekend non si usciva quasi di casa. A letto, in salotto, in mansarda. Perfino a tavola.

– A tavola?

– A tavola.

Sorso un poco più robusto.

– Un giorno, era lunedì, arriva e si mette a tavola. Tutto già apparecchiato, e in trenta secondi porto due bei piatti pieni di trenette al pesto fatto con tutti i crismi, con i pinoli, i pezzetti di patata lessa e i fagiolini. Gli dico: «Ti va un pochino di bianco?». «Grazie, amore» dice lui. E torno in cucina. Un minuto, il tempo di aprire la bottiglia, di versare due bicchieri, torno di là tutta tranquilla e anche un po' gaia...

– ... e ti trovi lui già pronto a partire.

Tiziana sorrise amaramente.

– Aveva preso il portatile, l'aveva aperto, se lo era messo davanti al piatto e aveva ricominciato a giocare a World of Warcraft. Davanti al piatto.

Tiziana alzò la testa.

– Tieni conto che la sera prima non eravamo usciti, perché lui doveva finire una missione del cavolo o che so io. Sempre a quel gioco idiota.

Massimo alzò le sopracciglia, non avendo niente da dire.

– Mi è andato via il cervello. Mi sono avvicinata, gli ho messo una mano sulla nuca, e mentre ruminava tutto intento gli ho chiesto: «Com'è? Ti piace?». Grunf grunf, fa lui senza staccare gli occhi dal computer. «E allora mangia!», gli ho urlato, e gli ho sbattuto la faccia nel piatto.

Massimo la guardò stranito.

– Gli ho rotto due denti. Ma questo me lo ha detto sua madre la sera, perché io subito dopo ho preso e sono andata via.

La prima cosa, la disse con rimpianto. La seconda, con orgoglio.

– Io ti posso riprendere anche domani – disse Massimo, dopo che avevano vagliato nuovamente la situazione. – Però forse converrebbe partire con uno stagionale. Poi a ottobre se ne riparla.

– Guarda, stagionale va benissimo. Lo sai, Massimo, fare la banconista a vent'anni è il lavoro più ganzo del mondo, però...

Massimo attese, resistendo alla tentazione di completare la frase (vizio orrendo, che alligna specialmente nei maschi di buona intelligenza, ma con una inspiegabile tendenza ad attribuire maggior significato ad un qualsiasi concetto quando esposto dalla propria voce).

– ... però a ventisei, insomma, comincia a volere qualcos'altro. Un minimo di prospettiva, un posto dove poter crescere anche professionalmente. Non ti offendere, Massimo, però lo sai anche te che al BarLume le mie qualità non vengono fuori.

Purtroppo no, pensò Massimo, ma non lo disse.

– Insomma, per me uno stagionale andrebbe benissimo. E intanto comincio a guardarmi intorno. Potrei partire già domani... cosa fai?

– Accendo il camino.

– Massimo, è giugno.

– Lo so benissimo. Ma si fa in fretta, la carta brucia subito. A che ora passi, domani mattina?

Tre

Erano le quattro, circa, e il paese si stava svegliando gradualmente dal pisolino del dopopranzo. Il sole di giugno aveva cominciato a stancarsi un po' di tutto quello scaldare, e piano piano stava pensando di concedere un po' di tregua. In contemporanea, indifferenti alla calura grazie all'ombra amica dell'olmo, Massimo e i quattro attempati collaudatori di seggiole stavano entrando nel merito della questione Foresti. Tiziana è infatti rientrata in servizio a pieno regime, e già da oggi pomeriggio alle tre il bancone è di nuovo sotto il suo presidio. Certo, ha incominciato spostando ninnoli, zuccheriere e portacenere, per allinearli ai misteriosi canoni di simmetria dell'ordine femminile; ma, oggi, a Tiziana le si perdona tutto.

Quindi, mentre la rossochiomata provvedeva ai rari clienti del primo pomeriggio, Massimo e tre dei vecchietti ascoltavano, mentre il Del Tacca, in virtù di quinta colonna in Comune, stava illustrando come e qualmente il Foresti fosse unico e legittimo proprietario di Villa del Chiostro.

– Qui – e il Del Tacca mise l'indice ancora lardoso, nonostante i due giorni di dieta rigorosa – c'è tutto quel-

lo che sono riuscito a trova' alla Conservatoria dei re-
gistri immobiliari. E c'è tutto quello che ci serve. Ora
si tratta di guarda'. Però, stando a quello che m'ha detto ir mi' amìo, ti posso fa' un riassunto. Poi te control-
li e vedi se quer che t'ho detto ti torna.

– Vai – disse Aldo.

– Allora – incominciò Pilade inforcando delle demi-
lunettes mai viste prima d'allora – il complesso nella
sua interezza è stato acquistato dal Foresti nel marzo
del 1990. Per la precisione – e Pilade incominciò a cercare nelle carte – il rogito è stato fatto il venti di marzo presso il notaio...

Cimportaunasega, dissero con chiarezza tre sguardi
vegliardi.

– Inzomma, il complesso è stato comprato dal Foresti. Per la somma – disse il Del Tacca staccando bene
bene le cifre – di lire due miliardi e duecento milioni.

– Cosa?

– Due miliardi e duecento milioni.

– Impossibile.

Aldo si alzò, cominciò a camminare e si diresse verso il pacchetto di sigarette che Massimo aveva perfi-
damente appoggiato all'estremità opposta del tavolino,
così vedrai che se la vuoi perlomeno me la chiedi.

– Impossibile – ripeté mentre tirava fuori dal pacchetto una sigaretta. – Si sta parlando di un palazzo di inizio novecento. Una casa di quelle dimensioni, in colli-
na, con la stalla, la servitù e mezz'ettaro di giardino.
Una cosa del genere nel novanta valeva almeno cinque
miliardi.

– Ma mica detto – disse il Rimediotti. – Io quella casa l'ho vista dall'interno, due o tre vorte. Era tenuta assieme colla cingomma. C'era delle bùe nell'intonaco – parevano tane di coccodrillo. E tubature da rifà, e pavimenti da rimette', e gli infissi da ristruttura'... È chiaro che a quer punto la casa te la porti via per un pezzo di pane.

– Sì, ma c'è un motivo. Allora... – tentò Pilade.

– Ho capito, Gino, ma non a meno della metà del valore – lo ignorò Aldo. – E con cosa sono fatti, gli infissi, col legno della croce di Cristo? Me la ricordo anch'io questa casa, dai. Era messa male, ma mica da buttarla giù. Qui si parla di un furto.

– Ma che furto e furto – disse Ampelio. – Ruba' in casa de' ladri 'un è furto. Quand'era giovane il Carratori ha 'nculato mezzo paese. E ora il Foresti sta incominciando a da' i bacini ner collo all'altro mezzo. Figurati se fra farabutti non s'intendano. E te vòi capi' cos'hanno intrabagato questi tizi, andando a rufola' fra le carte di quando Matusalemme era piccino? Ma fammi ir piacere...

La situazione incominciò a degenerare, e i tre si misero a parlare simultaneamente, dando l'uno sulla voce all'altro e diagnosticandosi a vicenda varie malattie neurologiche dai nomi anglosassoni. Finalmente, chiesta e ottenuta attenzione con una bella scatarrata, il Del Tacca riprese la parola:

– Se mi fate fini', fra tutti, ve lo spiego.

E guardò gli altri quattro da sotto gli occhiali.

– Il Foresti ha pagato così poco perché non ha com-

39

prato esattamente la casa. Ha comprato la nuda proprietà.

– Ah.

Ora mi torna, dissero le facce dei vecchietti. Ma non quella di Massimo, che si sentì in dovere di interloquire.

– E quindi?

– De', la nuda proprietà – spiegò il Rimediotti. – Ha comprato la casa col proprietario sempre dentro.

– Che culo. Così lo può vendere a tranci al mercato. Continuo a non capire.

– La nuda proprietà – si introdusse Aldo, che nel frattempo si era immerso nello studio delle carte che lo riguardavano – significa che una persona può acquistare una casa, concedendo al precedente proprietario il diritto di usufrutto dell'immobile stesso vita natural durante. Alla morte dell'usufruttuario, l'immobile è a disposizione dell'acquirente...

– Aldo – interruppe Massimo – guarda che lo so cos'è la nuda proprietà. Quello che non mi torna è che uno ci risparmi così tanto. Si sta parlando di più o meno la metà del valore della casa, o sbaglio? A intuito, mi sembra troppo.

– Più o meno è così – concesse Pilade, mentre Aldo tornava alle carte con aria piccata, cominciando poi a voltare le pagine con la studiata concentrazione di chi tenta di dare l'impressione di capirci qualcosa. – La metà, più o meno. Però hai ragione, è guasi un caso limite.

– Ho capito. Quindi ha ragione Aldo. Questo Foresti è veramente un lupo mannaro, se è riuscito a limarlo così tanto 'sto valore.

– No bimbo, il Foresti 'un c'entra nulla – rimbeccò il Del Tacca. – Funziona in un'artra maniera. È tutto tabulato. Ci son delle tabelle apposta, e uno si mòve su quelle. Di solito, quer che si fa è prendere il valore catastale della casa, moltiplicarlo per cento, prenderne la ventesima parte e di nuovo moltiplicarla per un numero che dipende dall'età di chi vende.

– Ho capito.

– Beato te. Io no – stronfiò Ampelio.

– È nòva. Inzomma, dipende tutto dall'età di chi vende. Se compri da uno intorno ai sessant'anni, vai a risparmia' più o meno la metà, a occhio e croce. Grazie, bimba – disse Pilade, ovviamente non ad Ampelio, ma a Tiziana, che era arrivata col vassoio e stava portando via i bicchieri vuoti.

– Si figuri. Ne vuole mica un altro? – chiese sorridendo Tiziana, indicando un bicchiere che aveva contenuto del succo di pompelmo.

– Ti ringrazio, bimba, per ora ho sofferto abbastanza. Casomai dopo.

– Può provare anche qualcos'altro. L'Ace l'ha già assaggiato?

– Senti ganzo. A' mi' tempi coll'Ace ci pulivano per terra – osservò il Rimediotti. – Ora lo bevano.

– To', d'artronde, – si inserì Ampelio – è anche vero che se per esse' alla moda ti tocca mangia' ir pesce crudo, invece di còcello, quarcosa per rifassi un po' la bocca magari serve.

– Arancia, carota, limone, vitamina E – compitò Massimo. – A te probabilmente non farebbe né caldo né freddo, ma quelli nati dopo il 1906 non sono in grado di digerire la candeggina. A me una bella Corona con sale e limone, Tiziana, per favore. Con questo caldo, è quello che ci vuole.

– Già. Guasi guasi... – disse il Rimediotti. – Me ne porti una anche a me, bimba?

– Ha voglia lei. Ampelio?

– Mah, via, una bella birretta... Ardo?

Senza alzare gli occhi dalle carte, Aldo assentì con la testa.

– Siete delle merde – disse Pilade quando Tiziana se ne fu andata dopo aver posato sul tavolo quattro belle birre fresche, con quella condensa minutissima che appanna il vetro e ti fa venire sete solo a vederla, e un succo d'ananas.

– E te sei un brodo – rispose Ampelio. – Te, la dieta e il dottore. Io è trent'anni che a diabetologi, podologi, gobbologi e tutti quell'artri sciamani gli vado ner culo, e me la ripasso dimorto bene.

Oooh, per una volta non ce l'hanno con me. Godiamocela.

– A ognuno la su' cura – disse il Rimediotti concedendosi una bella sorsata. – Te ciai la tua, Pilade, e Massimo cià la sua.

– To', davvero – notò Ampelio. – Da quando è tornata Tiziana il bimbo ha cambiato faccia.

– Eh, la carne è debole... – chiosò Aldo, chino su di un rogito.

– Anche le ossa. Specialmente quelle anziane. Per cui,

42

tanto per continuare sul biblico, non mi inducete in tentazione. Altrimenti ve lo dimostro a seggiolate.

– Certo, bisogna esse' cattivi dentro – disse il Rimediotti. – Prendessela con tre penzionati e un disoccupato.

Aldo non reagì.

Di solito, nella pratica professionale delle chiacchiere da bar, quando uno viene fatto oggetto di presa per il culo, è buona norma che reagisca verbalmente.

La risposta può essere efficace o fiacca, corrosiva o interlocutoria, ma restare in silenzio non si può. Specialmente quando si parla di Aldo, che solitamente va chetato con le bombe a mano. Se Aldo non rintuzza l'attacco c'è qualcosa che non va.

– Ardo, quando le hai imparate a mente ce le reciti?

– Eh? Ah, sì, scusate. Ero un attimo assorto.

– Sì, ci se n'era avvisti.

– Il fatto è che c'è una cosa che non capisco.

E il tono, invece, era quello di uno che ha capito qualcosa.

– Qui c'è scritto che il rogito è stato fatto nel 1990. Nella stessa pagina, leggo che Ranieri Carratori è nato il 4 aprile del 1930. Alla data in cui viene stipulato il rogito, chi vende ha sessant'anni ancora da compiere.

Aldo si alzò, cercò inutilmente le sigarette (Massimo si era infilato il pacchetto nelle mutande) e si accontentò di una delle Stop di Pilade. La accese, la guardò con disgusto e continuò:

– Ora, che il Foresti sia uno che gli affari sa come si fanno, non c'è dubbio. Mi chiedo questo: ma quale im-

43

prenditore va a comprare la nuda proprietà di un edificio enorme da uno che non ha nemmeno sessant'anni? Dico, se uno è in buona salute non ci mette niente ad arrivare ad ottanta, al giorno d'oggi. E non è detto che schianti il giorno dopo.

Mentre gli altri si grattavano le palle, Massimo azzardò:

– Magari non era in buona salute.

– Sì. E va a vendere la nuda proprietà, così per non aver aspettato un annetto i figli si ritrovano ad aver svenduto la casa di famiglia al primo bischero che passa. Il Foresti è furbo, ma guarda che il Carratori non era mica scemo. Anzi. Tra i due, il vero squalo era proprio lui. Ora, a questo punto mi viene in mente solo una domanda: quando è morto Ranieri Carratori, qualcuno se lo ricorda?

Seguì conciliabolo. Alla fine del quale, Pilade risolse draconianamente la questione.

– Tiziana, portami il telefono, per cortesia. Devo fa' due o tre chiamate.

Dalla prima chiamata, fatta da Pilade direttamente all'ufficio anagrafe al suo ex collega Tersilio Facchini, emersero varie notizie senza interesse per il caso in oggetto (nascita di vari nipoti, eziologia e progredire di varie patologie causate dall'assoluta inattività fisica e dalle quattro o cinque colazioni/die, cattura di un muggine di circa otto chili sul fosso scolmatore ecc.) ed una informazione chiara ed ufficiale: ai sensi dell'anagrafe, Ranieri Carratori era deceduto il dieci di aprile del 1990.

Dalla seconda chiamata, fatta alla signora Clelia Bon-
ciani in Del Tacca (ci sarebbe difatti entrata comodamente), venne fuori che:

a) il Carratori era morto per un malaccio che n'era
venuto fòri all'improvviso, di quelli che oggi stai bene
e fra due settimane ti portano via a piedi in avanti, e
lui poveraccio aveva anche provato a curassi ma invece nisba;

b) chi l'aveva curato era fra l'altro il fidanzato della figliola del povero Carratori, che poi anche lui aveva fatto una finaccia e s'era ammazzato tirandosi di sotto da tre piani, poverino, era tanto un bel giovane;

c) te se non la smetti di fatti i cazzacci dell'artri vedrai
prima o poi t'ammazzano anche a te e ti ci sta bene, tutta la giornata in quer barrino con quell'artri debosciati e
io qui in casa da sola a rompermi i coglioni tutto il giorno, guarda solo di sta' attento a cosa mangi quando sei
lì perché se dioguardi tiri ir carzino per davvero io di vaìni estra per fatti la cassa da morto tonda 'un ne tiro fòri, vorra' di' che ti seppelliscano dentro un tino.

Su quest'ultima parte, Pilade chiuse la telefonata. Dopo di che, si voltò verso Aldo e disse con fare solenne:

– A me questa faccenda non mi garba.

– Nemmeno a me – approvò Ampelio. – Io scommet-
to quer che vòi che questo poveraccio l'hanno ammazzato.

Eccoci. Stavo in pensiero.

Son partiti dall'affitto di un ristorante e sono arrivati a vedere un omicidio.

A volte mi chiedo chi ho ammazzato io.

Due più due

Qualche giorno dopo, la porta del bar si aprì e fece la sua comparsa un signore alto e magro, dall'aria vagamente ansiosa, che dopo essere entrato invece di dirigersi al bancone e ordinare cominciò a guardarsi intorno con un sorrisetto forzato, trotterellando.

Massimo, che divideva la sua clientela in Abituali, Sporadici, Occasionali e Incontinenti, lo classificò automaticamente sotto quest'ultima voce ed attese con fare professionale l'inevitabile domanda. Dopo un attimo, infatti, il tizio si avvicinò al bancone e chiese con fare guardingo:

– Buongiorno. Mi scusi, un'informazione.

– Buongiorno a lei. Se cerca quello che immagino, è in fondo a destra.

– No, no, la ringrazio. Io starei cercando il signor Ampelio.

Massimo guardò meglio il tizio. Sui quarantacinque, capelli radi, ben vestito. O meglio: con dei bei vestiti, che però sembravano avvitati sul corpo invece che indossati. Mai visto né conosciuto, apparentemente; però Massimo era consapevole di avere una memoria da bambino autistico, affidabile al cento per cento per cifre, date, testi e angherie vere o presunte, ma decisamente poco funzionante per le facce. Facciamoci gli affari nostri, va', almeno noi.

– Ho capito. Bene, se qualcuno cercasse il signor Ampelio, credo che lo troverebbe in sala biliardo.

Come a confermare l'ipotesi, dalla sala del biliardo si sentì una voce senile che invitava un non meglio individuabile brodo a sbrigarsi a tirare prima che facesse buio, maledicendo in rapida successione lui e il primo di novembre.

– Sento – e il sorriso si fece lievemente più ebete, come chi prova contrizione di fronte a Cristo per i peccati degli altri. – Ecco, io dovrei parlare per un momento con suo nonno. Lei crede che possa disturbarlo di là al biliardo?

– Può sempre provare. Magari è meglio se venite di qua, però.

Di là con la scusa che sennò al Rimediotti gli viene mal di schiena mi fanno tenere l'aria condizionata spenta anche a luglio. Un essere umano con un'età a due cifre in quella stanza rischia di morire soffocato.

Il tizio guardò nella stanza, indeciso sul da farsi.

– Se desidera, glielo chiamo di qua. Vuole qualcosa, prima?

– Sì, grazie. Un caffè mi ci vorrebbe proprio.

– Ecco, bimbo, grazie – disse Ampelio mentre, come per magia, usciva dalla sala biliardo. – Fammi un caffè anche a me, così mi passa l'amaro di bocca.

– Agli ordini del nonnaccio. Quale vuoi?

– Quello che vòi te, basta 'un sia quello che trovano nella merda delle vorpi.

Non perde occasione, eh.

Recentemente, Massimo aveva allargato la propria carta dei caffè, inserendo fra le possibili scelte anche il Kopi Luwak, preziosissimo caffè indonesiano che deve il suo gusto particolarmente dolce al fatto che le bacche, prima di venire lavorate, non vengono raccolte esattamente dalla pianta. Un passaggio essenziale della produzione, infatti, è dato dallo zibetto delle palme, simpatico animalino che ama arrampicarsi sugli alberi di caffè e rimpinzarsi di frutti maturi che poi, parzialmente digeriti, vengono pazientemente estratti dal prodotto interno lordo dell'animale, lavati ben bene (almeno si spera) e messi a tostare. La parziale fermentazione subita dalla buccia esterna elimina in gran parte i componenti che conferirebbero al chicco la nota amara del gusto, e ne viene fuori una tazzina semplicemente strepitosa che Massimo può permettersi di vendere a sei euro. Questa novità però non riusciva ad andare giù ad Ampelio, il quale non aveva ancora perdonato a Massimo di avergli propinato una bevanda a base di cacca, e a fargli anche dire che era parecchio buona.

– Tranquillo, nonno. Un normalissimo e inoffensivo Arabica. Voi prendete qualcosa?

Dietro Ampelio, infatti, erano sbucati in fila anziana gli altri tre giocatori.

– A me un espresso, Massimo, grazie – disse Aldo. – A tuo nonno invece dagliene poco, di caffè. Lo vedo nervoso.

– De', son nervoso sì. Sbagli de' tiri che li coglierebbe anche Rèi Ciarles.

– Ray Charles è morto da anni, Ampelio.

– Badalì, giocherebbe meglio lo stesso. Perlomeno danni 'un ne farebbe.

– Pronto il caffè. Gino, caffè?

– Vai.

– Pilade?

Pilade guardò Massimo con acredine velata di tristezza.

Il fatto è che a Pilade il caffè piace con tanto zucchero: senza, è solo un'altra delle tante cose amare che gli tocca mandar giù giorno dopo giorno. Per cui, siccome lo zucchero è stato estirpato dalla dieta, il povero Pilade il caffè da qualche giorno non lo beve più.

– Nulla, Massimo, ti ringrazio. Casomai un bicchier d'acqua gassata.

– Gassata gonfia, Pilade – disse Aldo mentre zuccherava il suo caffè. – Poi scoppi. Ingegnere buongiorno. Come va?

Il tizio nervosetto strinse la mano che Aldo gli porgeva con evidente sollievo.

– Oh, signor Griffa, buongiorno. Non sapevo di trovarla qui. Come va con il locale?

– Male, la ringrazio. I pompieri hanno negato l'agibilità. Sto cercando un altro posto proprio in questi giorni. L'ingegner Costanzo, delle assicurazioni. È la persona che mi ha aiutato a stimare il disastro – disse Aldo, presentando con un cenno della mano il nervosetto al resto della combriccola. – Mi cercava?

– Eh, no, no. Non esattamente, o meglio...

– In realtà cercava te, nonno – ricordò Massimo con una puntina di curiosità malcelata.

– Me?

– Eh, sì, cioè... Allora, vediamo di cominciare dall'inizio –. L'ingegnere si raddrizzò, gesto che gli fece uscire un lembo della camicia dai pantaloni, con l'effetto di perdere anziché guadagnare in aplomb. – Credo che conosciate, almeno di nome, Kinzica Carratori. Che sarebbe mia moglie.

Eccoci. Lo sapevo che si andava a finire lì. E come ti sbagli?

Sono tre giorni che qualsiasi persona entri nel bar, prima ancora di riuscire a ordinare, si sente chiedere «Ma te lo conoscevi il Carratori?». Chiunque. Vecchi, giovani, rappresentanti, tedeschi. E via a ciacciare.

– Mia moglie, dovete sapere, ha sofferto molto in passato per la perdita del padre. È stato per lei un vero e proprio trauma, acuito dal fatto che... che ci sono state delle situazioni collaterali che hanno contribuito a farla soffrire ulteriormente.

– Ah. E quali sarebbero? – chiese Aldo con interesse.

– Cose dolorose, che non è il caso di rivangare – rintuzzò il nervosetto, allontanando l'ipotesi con un gesto della mano. – E proprio di questo vi volevo parlare –. Deglutizione. – Recentemente, sono arrivate delle voci che direbbero che dietro alla morte del mio povero suocero ci sarebbero delle circostanze poco chiare.

– No, 'un è che ci sarebbero – disse Pilade, evidentemente infastidito da tutti quei condizionali. – Ci sono, e son grosse come case. Se vòle ni si spiega.

E i quattro ripeterono, per la trecentesima volta nel corso della settimana, la sequenza dei fatti di cui avevano avuto notizia, chiosandola alla fine con la loro ipotesi: il Foresti, acquistata la nuda proprietà di Villa del Chiostro profittando delle difficoltà finanziarie del proprietario, aveva ritenuto opportuno accorciare i tempi di attesa per la fruizione diretta del bene togliendo di mezzo il buon Carratori prima che la natura facesse il proprio corso.

Finita la spiegazione, l'ingegnere scosse la testa.

– Posso capire come siate giunti a questa conclusione, certo. Ma posso assicurarvi che siete assolutamente nel torto. Mio suocero, come sanno tutti, è morto a causa di un tumore alla prostata, di quelli che non perdonano. Si è sentito male in modo progressivo, ed inesorabile. Quando è stato ricoverato sembrava semplice prudenza: gli era stato diagnosticato questo male, questo adenocarcinoma, già parecchio tempo prima, ma a suo tempo era stato curato e, insomma, la situazione sembrava sotto controllo. Invece... da lì ad un paio di settimane la situazione è degenerata. I medici hanno trovato che il tumore stava tornando fuori, che c'erano metastasi a livello osseo, ed hanno tentato di curarlo... ma con certe cose non c'è molto da fare.

– Pol'essere – rispose Ampelio, con la formula che da queste parti è il grado massimo di approvazione che può essere concesso quando chi parla fornisce dei fatti che smentiscono la nostra ipotesi. – E quindi?

– Quindi... C'è poco da dire, in realtà. Mio suocero è morto per una malattia orrenda. Non ci può essere nessun dubbio su questo. E non c'è motivo di stare a disturbare i morti con ipotesi campate per aria, fatte per passare il tempo.

Il nervosetto bevette il caffè ormai freddo, prima di concludere:

– Io sono qui solo per mettere le cose in chiaro, prima che certi refoli diventino tornado. Per evitare ulteriori sofferenze a chi ne ha già avute abbastanza. Sono certo che mi potete capire.

– Insomma, dài e dài siete riusciti a farla, la figura di merda.

Seduti dentro al bar, dopo l'uscita di scena dell'ingegner Costanzo, i quattro vecchietti stavano rimuginando sul da dirsi, mentre Massimo si degustava la propria vendetta. Fuori, intanto, Tiziana stava prendendo le ordinazioni da una coppia che era riuscita a sedersi al tavolo sotto l'olmo, sfruttando l'attimo.

– Questo è da vedessi – disse Ampelio con tono dubbioso.

– E va be', nonno, che cavolo. Vediamo di incominciare ad accettare la realtà –. Massimo prese una sigaretta dal pacchetto, ci giocherellò e la rimise dentro, tanto vedrai che ora mi tocca di far qualcosa. – Non è che tutti gli anni possono ammazzare qualcuno per farvi passare il tempo. Dimmi Tiziana.

– Senti, ambasciator non porta pena. I signori qui fuori vorrebbero un tè freddo e un cappuccino.

– Preparo subito il tè freddo. Per il cappuccino, puoi spiegare che la fisiologia umana e il cappuccino in orario postmeridiano sono incompatibili. Puoi suggerire un caffè freddo, o una granita di caffè. Oppure un tamarindo. Uno che ordina un cappuccino alle tre e va in giro vestito in quel modo a fine giugno di sicuro ha dei gusti discutibili.

– Se lo dici te...

Mentre Tiziana usciva, Massimo tentò di chiudere la questione.

– Comunque, a questo punto la faccenda è chiara. Siccome il signor ingegnere è stato così gentile da spiegarci per quale motivo non c'è nessun omicidio, potete anche smettere di sbriciolare le gonadi alla gente con questa storia. Non è affar vostro.

– To', questo lo dici te – disse Gino. – Io in questo posto ci vivo. Quello che ci succede è affar mio per forza.

– Ha ragione Gino – disse Aldo. – Guarda che se tutti si facessero gli affari loro, come dici te, non sarebbe tanto una bella cosa, sai. Cose bellissime come la mafia si basano proprio su questo.

Aldo si alzò e cominciò a camminare avanti e indietro.

– Ed è così da millenni, caro Massimo. Da millenni. È scritto già nel Deuteronomio che la comunità può farsi carico di amministrare la giustizia e di punire gli empi.

– Ho capito. È lo stesso passo dove si indica la lapidazione come metodo esecutivo per eccellenza – rispose Massimo cominciando a caricare la lavastoviglie. – Ditemelo, quando volete che metta un vassoio di sassi accanto alla zuccheriera. Li prendiamo di design, così non stonano.

– Cos'è questa storia?

Massimo alzò gli occhi. Di fronte a lui, in atteggiamento deciso, si era posizionato il cliente maschio della coppia di cui sopra. Dietro di lui, Tiziana in piedi sull'attenti, con labbra strette e vassoio appoggiato sulle ginocchia.

Altezza media. Occhiali rettangolari, labbra inesistenti, capello pettinato con la riga a destra. Camicia maniche corte azzurra a righine bianche. Accento veneto. In poche parole, un rompicazzo.

– Molto semplice. È una precauzione che abbiamo deciso di prendere a salvaguardia dei nostri clienti. Lei è italiano, no?

– Non esattamente. Sono padano.

– Mi dispiace per lei. Comunque, lei saprà che...

– Mi faccia la cortesia di non dire cretinate. Dovrebbe essere lei a sapere che questo è un pubblico esercizio. Lei può rifiutarsi di servire da bere solo nel caso in cui un minore o un ubriaco le chiedano dell'alcol. Negli altri casi, lei interrompe un pubblico servizio.

La voce del padano si alzò.

– Commette un reato, ha capito? Ed è passibile di sanzione amministrativa, è chiaro? Quindi la smetta di dire idiozie e mi faccia questo cappuccino!

E come era entrato, uscì.

Un rompicazzo, appunto.

Mentre Massimo pensava a cosa fare, i vecchietti si erano improvvisamente interessati alle fughe tra le mattonelle e Tiziana si era messa a lucidare un tavolino già perfettamente pulito. Dopo qualche secondo, Massimo si era messo al lavoro.

Schiuma di latte. Caffè in tazza grande. La schiuma si versa delicatamente, così. La cioccolata, ora. Delicatamente, delicatamente... ecco. Perfetto.

– Tiziana, puoi portare.

Tiziana arrivò col vassoio, prese la tazza, la posò e la guardò meglio.

– Massimo, io questo non lo porto.

– Perché no? È un cappuccino. Il signore ha chiesto un cappuccino, il signore ottiene un cappuccino. Secondo la migliore tradizione dell'operoso Nord. Lavoro-guadagno-pago-pretendo. Quel che è giusto è giusto.

– Io non lo porto.

– Le ricordo, signorina, che lei è dipendente di un pubblico esercizio. Lei non può rifiutarsi di seguire le direttive del suo datore di stipendio, in quanto questo comporterebbe delle sanzioni.

– Poi te la vedi te.

Ecco. Appunto. Crederà mica di essere l'unico al mondo, ad essere rompicazzo?

Prendi 'sti quattro vecchi, per esempio. Sono tre giorni che hanno trasformato il bar in un confessionale. Ormai la gente entra solo per l'aperitivo, quando sono sicuri che loro non ci sono. Eccolo che rientra. Professionale, Massimo, mi raccomando.

– Mi dica.

Il padano era rientrato nel bar a passo contratto, con la tazza del cappuccino in mano e il viso congestionato, e adesso guardava Massimo trattenendo la rabbia a malapena.

– Che cosa sarebbe questa roba qui?

Massimo si sporse, andò a controllare col naso a circa cinque centimetri dalla schiuma e rispose rialzandosi:

– Un cappuccino, credo. Anzi, sono sicuro. L'ho fatto io.

– E lei d'abitudine, quando fa il cappuccino, ci disegna un cazzo di cioccolato sulla schiuma?

– No, certamente. Dipende dal momento. A volte eseguo il ritratto del cliente. Altre volte seguo l'ispirazione.

– A vorte fa tutt'eddue le cose – si inserì Ampelio. – Come ora, per esempio.

– Ò, comunque se non lo beve lo diamo al signore qui, non si preoccupi – disse il Rimediotti indicando Pilade. – Ora come ora n'ha bisogno, sa, n'ha detto ir dottore che è un po' patito.

Il padano guardò Pilade.

– E lui chi cazzo è?

Che cos'è il genio?

Secondo Mario Monicelli, il genio è fantasia, intuizione, colpo d'occhio e rapidità d'esecuzione. E Pilade queste caratteristiche le possedeva tutte. Inoltre, dato il particolare momento alimentare, il padano aveva cercato lo scontro diretto proprio con il meno adatto dei cinque a subire supinamente.

– Io sarei il vicesindaco di questo paese – disse Pilade con calma. – E, a nome di tutto il paese, non posso che porgerle le mie scuse per questo squallido episodio.

Pilade si voltò con calma severa verso Massimo, e lo guardò con tranquilla autorità.

– Adesso, il qui presente Massimo le rifarà un cappuccino come Dio comanda, e lei può andare ad accomodarsi fuori. Le porterò il cappuccino personalmente, e personalmente mi scuserò con la sua signora. Ovviamente, siete nostri ospiti.

Il padano, preso in contropiede, perse gran parte del sangue dal viso; quindi, dopo un attimo, disse: – Ecco – e, con la testa diritta, marciò spedito verso il tavolino e si sedette accanto alla moglie, guardandola tronfio come l'uom che nulla teme.

Nel frattempo, Massimo stava preparando un cappuccino con tutti i crismi; e, una volta finito, lo porse a Pilade con gesto cerimonioso.

– Mi fido di lei, signor vicesindaco.

– E fai bene – rispose Pilade.

Quindi, impadronitosi del cappuccino, estrasse dalla tasca una boccetta di vetro e versò una ventina di goccioline sulla schiuma, delicatamente. Infine, tazza in mano, partì, mentre Massimo lo guardava inorridito.

Quando il padano ebbe finito il cappuccino e se ne fu andato, Pilade tornò tranquillo alla base e si risedette sulla sua amata e sofferente seggiolina.

A testa china sul lavandino, Massimo chiese:

– Cosa ci ha messo?

– Dove, nel cappuccino? – Pilade sospirò. – Una cosina mia. Te 'un ti preoccupa'.

Come se fosse fattibile. Ho a che fare con dei bambini di ottant'anni, e dovrei stare tranquillo.

– Pilade, per favore. Cosa ci ha messo?

Pilade si guardò intorno, con un piccolo sorriso. Poi, spiegò:

– Vedi, Massimo, con questa storia della dieta mi fanno mangia' parecchie verdure, e 'r pane me lo danno solo integrale. Per cui da un po' di giorni ciò qualche disturbo di pancia, e vado spesso ar gabinetto, via. Allora, il dottore m'ha prescritto questa cosa qui, questo antidiarroico, per rallentare un po' la faccenda.

Pilade fece un altro lungo respiro.

– Di solito, io ne piglio cinque gocce. E fanno parecchio effetto. Venti... – Pilade allargò le braccia – diciamo che seòndo me ti rovinano la vacanza.

Mentre Massimo ricominciava a respirare, Ampelio andò dall'amico e gli batté una mano su una spalla.

– Sei un genio, artro che storie.

– Pienamente d'accordo – disse Aldo. – Io mi permetterei però un suggerimento. Visto quanto deve essere rompicazzo il tipo, di quanto è successo qui dentro oggi credo non sia il caso di farne parola con nessuno. Non mi sembra il caso di rischiare una seconda puntata. Va bene?

– Sur bene di mi' madre – disse Gino. – Tanto è morta da trent'anni.

– Parola d'onore – disse Ampelio.

– A questo punto anche te, Massimo, m'arraccomando – disse Pilade.

– Ci mancherebbe. Quello che va a finire nelle tazze oggi lo sappiamo solo noi. E quando esco di qui, stasera, ci scorderemo improvvisamente tutto, e così nessuno va a dire niente a nessuno, va bene?

– Nulla nulla? Me lo giuri? – chiese Pilade.

– Glielo prometto solennemente.

– Bravi bimbi, è così che si fa – approvò Pilade con serietà. – Allora un cappuccino e tre paste, Massimo, per favore. Me le porti di là, fòri c'è gente.

Cinque meno epsilon

Qui bisogna fare qualcosa.

A mollo dentro l'acqua della sua ultratecnologica vasca-doccia-idromassaggio, a getti spenti, Massimo pensava alla giornata. A getti spenti, certo. Coi getti accesi Massimo non era in grado di pensare, era troppo occupato a godersi il modo in cui i soffioni d'acqua gli deformavano le cosce e la schiena; una di quelle sensazioni che da piccolo aveva sognato n volte e che da grande si era ritrovato a poter provare ogni sera, appena tornato alla base, grazie ai precedenti proprietari della sua casetta.

Dopo la presunta lite col padano, Pilade e gli altri tre presbiti si erano rimessi a parlare dell'affaire Foresti, e dalla discussione sul ristorante erano nuovamente passati alla prematura dipartita del povero Carratori. Aldo e Gino propendevano per la sospensione delle attività: in fondo, quando uno muore di malattia, muore di malattia. Punto. Se uno dovesse incriminare il buon Dio per tutte le dipartite premature che ha causato, non dovrebbe certo cominciare da uno di sessant'anni. Pilade, invece, grazie al rinnovato tasso glicemico, aveva incominciato a dire che i dottori di segate ne dicono tante, e anche l'ingegner Costanzo aveva ammesso di straforo che l'esito della malattia era stato rapido, e piuttosto inaspettato. Ampelio, ovviamente, spalleggiava Pilade; un po' per la convinzione endemica che i dottori non capiscano nulla nemmeno in un'unghia incarnita, un po' perché già l'anno scorso non hanno ammazzato nessuno e io incomincerei anche ad annoiarmi.

E questo era il primo problema.

Il secondo problema era rappresentato da Tiziana.

O meglio, il problema non era Tiziana. Siccome la possibilità di risolvere un problema dipende in maniera fondamentale dalla corretta esposizione del problema stesso, definiamo meglio. Il problema reale era che Massimo non tastava una donna da un bel po' di tempo, non diciamo quanto per non essere impietosi, l'unica cosa positiva è che si parla comunque del terzo millennio. Per cui, bisogna essere sinceri.

Per Massimo, Tiziana era una preziosa collaboratrice, un'amica magari superficiale ma fidata, e una persona piacevole con cui condividere tempo e spazio. Poi, collateralmente, Tiziana esibiva delle scollature e un'andatura che affondavano nella carne di Massimo doppiamente. Primo, perché consapevole che eventuali sollazzi con la proprietaria di detta magnificente scollatura erano a probabilità nulla. Secondo, perché anche estendendo l'insieme delle possibili candidate al resto del genere femminile, tali eventuali sollazzi mancavano da un bel po', come si diceva.

Massimo non era ben sicuro se il problema fosse «Come fare per conquistare Tiziana» oppure «Come fare per mettere le manine addosso a una femmina»: essendo un maschio, per quanto riguardava il dualismo amore/sesso era biologicamente portato alla separazione delle carriere, anche se solo a livello di desideri. Certo, dopo un lustro involontariamente monastico, certi confini si sfuocano e uno incomincia ad aver voglia di passare all'azione in un modo o nell'altro.

E, come sempre quando doveva focalizzare meglio un problema, Massimo cominciò a parlare da solo:

– Certo, Tiziana mi è mancata, e questo è un fatto... Per quale motivo mi sia mancata, questo è da vedersi... Anche solo per il fatto che era l'unico essere umano under 71 che avevo la sicurezza di vedere tutti i giorni... E forse il problema è tutto qui, ti sei chiuso nel bozzolo per degli anni... Magari è anche l'ora di ricominciare ad annusare cosa c'è fuori. Va bene che adesso hai una bella casa, ma bisognerà anche farla vedere a qualcuno. Qualcuno possibilmente privo del senso dell'olfatto, perché qui comunque a seconda dell'orario sembra di entrare in una enorme crocchetta arredata. Chissà come si dice, privo dell'olfatto? Chi è privo della vista è cieco, chi è privo dell'udito è sordo, chi è privo del senso del gusto è inglese... chi non sente gli odori sarà classificato in qualche modo... figurati se non ci hanno mai pensato...

Massimo tentò di ignorare questa innocua curiosità per qualche minuto. Poi si dovette arrendere. Ancora gocciolante, andò a prendere il grande dizionario medico che sua madre, in un momento di assoluta distrazione, gli aveva lasciato in casa e non si era mai più riportato via.

– Olfatto, menomazioni... vedi Anosmico... eccoci qua. Anosmico, cioè privo del senso dell'olfatto... Anosmico, anosmico, a-no-smi-co. Sembra giapponese...

E mentre ripeteva la stessa parola ad alta voce tre o quattro volte di seguito, come un cretino, gli si accese una piccola lampadina in testa. Ripose il dizionario, guardò il pavimento, tanto asciugo dopo, rientrò nella vasca e accese i getti dell'idromassaggio.

Non che il problema ora sia risolto, certo. Ma almeno mi ci diverto un po' anch'io.

Cinque

Driiin.

Driiin.

Driiin.

– Pronto, qui Iniquitalia. Divisione recupero crediti, sciacallaggi e vendette trasversali. Dica.

– Pronto... No, mi scusi, sono Tiziana Guazzelli, temo di aver...

– No, nessun errore. Sono Massimo. Avevo solo voglia di fare un po' il cretino. A cosa debbo l'onore?

– Massimo, qui è successa una cosa assurda. Guarda, non so come dirtelo. Stamani è arrivata una lettera qui al bar. Siccome era indirizzata al bar, l'ho aperta io...

– Mmh.

– ... e insomma, apro questa lettera e... senti, forse è meglio se vieni al bar direttamente. Lo so che stamani volevi...

– C'è un problema.

– E quale sarebbe?

– Il problema è che questa è una segreteria telefonica. Chiunque voi siate, state parlando con un nastro registrato, che non è in grado di seguire i vostri discor-

63

si né di interloquire oltre. Se volete lasciarmi un messaggio, potete parlare dopo il bip.

Tiziana alzò gli occhi al cielo.

Bip.

– Ascolta, Massimo, due cose. La prima è che questa segreteria telefonica è oscena. La seconda è che stamani al bar è arrivata una lettera anonima. Appena senti il messaggio, se non sei impegnato in altre cretinate come quest'ultima, faresti meglio a passare dal bar, prima che diano fuoco anche a noi.

Chiunque fosse entrato nel bar avrebbe capito subito che c'era chiaramente qualcosa che non andava.

Innanzitutto, nonostante fossero le tre e mezzo, i vecchietti non erano seduti al tavolo sotto l'olmo, ma dentro al bar. In secondo luogo, nonostante per quel pomeriggio fosse prevista la partenza del Tour de France, il televisore era sintonizzato su di una sfilata di moda.

In terzo luogo, Ampelio e gli altri stavano zitti, guardandosi fra loro a dentiere strette.

Sul tavolino, esattamente in mezzo, c'era una lettera scritta al computer.

Massimo la prese, la portò davanti al viso e lesse ad alta voce:

– «La prima volta hai fatto centro. La seconda hai fatto il tuo dovere. La terza hai fatto dei danni. Adesso vedi di farti gli affari tuoi».

Massimo posò la lettera con delicatezza sul tavolino e guardò i quattro pluriagenari uno dopo l'altro.

– Stile un po' stringato, ma efficace. In sintesi, il messaggio è che avete rotto i coglioni.

– Noi? La lettera è indirizzata a te.

– Ha ragione Ampelio – disse Aldo con gravità. – È tutta in seconda persona singolare. «Hai», non «hanno».

– Vediamo di mettere in chiaro le cose – disse Massimo sedendosi. – Primo, io mi sono sempre fatto parecchio gli affari miei. Per cui, la lettera è indirizzata a me solo in quanto proprietario del bar e domatore ufficiale delle jene rincos. Secondo, questa roba è chiaramente una presa in giro. Non vedo motivo di prenderla sul serio.

– Te no – disse Gino. – Ma noi sì. Questo è ma un avvertimento mafioso. Se poi ti danno fòo ar barre me lo sai ridi', quanto la prendi sul serio.

– Ma perché mai dovrebbero incendiarmi il bar? Ora, vediamo di ragionare, su. Non è che siccome il locale di Aldo ha preso fuoco ora tutti a Pineta vanno in giro con la tanica.

– Te, Massimo, ti fidi troppo der tu' cervello. Dimmi una cosa: ti sono mai arrivati biglietti anonimi con richieste strane?

– Sì, hai voglia. Una valanga, quando ero al liceo. Di solito mi chiedevano di passargli il secondo esercizio. Il proprietario l'aveva svolto anche lui, ovviamente, ma voleva confrontare il risultato.

– Massimo, ascolta. Non fare il furbo. Certe cose succedano. Ci ridi, fai finta di nulla, e poi un giorno il tuo dirimpettaio t'entra in casa e ti sgozza. Lo so, sembra sempre che le cose capitino solo agli altri. Poi un giorno capitano a te, e te ci rimani male.

– Vero – disse Gino. – Come quando ir figliolo der Palazzesi gli prese la fissa delle sette sataniche e andava a giro co' caproni tatuati sulla schiena. E tutti a fa' finta di nulla, son ragazzi. Poi un ber giorno di luna piena entrò ner convento e tentò di violenta' du' sore. 'Un è che fosse tanto difficile accorgessene, che uno così non batteva pari.

– Ho capito. E allora cosa vorreste fare?

– De', la meglio è anda' in commissariato e spiega' tutto a Fusco – disse Ampelio. – Gli si spiega la storia del Carratori, gli si fa vede' la lettera anonima e gli si chiede di garanti' la nostra siùrezza. Ò, si fa anche ner tu' interesse.

– Massimo?

– Presente.

Dentro il bar, sul bancone, Massimo e Tiziana stavano cominciando a disporre per l'ora dell'aperitivo. Che era il momento preferito della giornata lavorativa.

Via i reduci, che dalle sette alle nove sono a casa a mettere le zampe sotto la tavola, e dentro un po' di carne fresca.

Banditi dalle ordinazioni fernet e chinotti, sostituiti dalle bollicine. O dai long drink, certo. Massimo ne fa solo due, spritz e Negroni sbagliato, il primo perché gli piace il sapore, il secondo perché gli piace il nome. Per il resto, bianco o bollicine, quasi tutto dal nord: dal bianco fresco ma complesso, un incrocio Manzoni che veniva da Aldeno, e che veniva servito a chi chiedeva «un bel bianco», fino alla riserva Moretti di Bellavista che aveva provato una volta a stappare e proporre a otto euro al calice, finendola in meno di un'ora.

– Ma te non sei per niente preoccupato?

– Per nulla. Anzi. Da due o tre anni a questa parte, la gente vuole roba buona anche all'aperitivo. Mi capita raramente di avanzare una bottiglia. Se lo propongo, lo prendono, e poi lo richiedono. Si vede che la crisi c'è solo fino alle sette di sera.

– Massimo, io parlavo della lettera.

– Per nulla, e due. Non c'è nessun pericolo. Adesso, qui da questa parte è meglio mettere le salsiere. Col bancone così, che è un po' più largo, dove le mettevamo prima viene un collo di bottiglia. La tempura invece, mano mano che esce, si poggia qui sopra in alto, tanto è la cosa che viene depredata prima. Non c'è rischio che non la vedano.

– Sembri parecchio sicuro. Della lettera, intendo.

– Lo sono. Ci mancherebbe. L'ho scritta io.

Silenzio. Qualche secondo. Massimo posa e Tiziana allinea, Massimo mette e Tiziana simmetrizza.

– Me lo immaginavo. Però sei bastardo, abbi pazienza.

– Ne ho avuta anche troppa, di pazienza. L'anno scorso non hanno ammazzato nessuno, ma tutto sommato un anno sì e uno no va anche bene. Quest'anno però erano in crisi d'astinenza già da maggio. Allora, ieri, per caso, mi sono imbattuto nella parola «anosmico», che non avevo mai trovato, e mi ha fatto venire in mente che mi ricordava «anonimo». Volete andare in commissariato a tutti i costi? Eccovi serviti. Ora Fusco li ascolterà, leggerà la lettera, si farà raccontare la storia del presunto omicidio e gli farà un culo come un granaio. Così magari per due o tre settimane sento parlare solo di corna e di pallone.

– O di Bibbia – disse Tiziana. – Ultimamente Aldo ci picchia parecchio.

– A-ha. È una delle sue manie. I grandi classici, intendo, non la Bibbia. Lo sai come è fatto lui, no? Io non leggo contemporanei. Te lo dice sempre.

– Ma perché? È come volersi privare di qualcosa, no?

– Secondo lui, è esattamente il contrario. Aldo parte da questa premessa: il nostro tempo su questa terra è limitato. A leggere tutti i libri che sono al mondo io non ce la farò mai. Quindi non voglio perdere tempo a leggere troiate. Allora, se un libro continua ad essere stampato, pubblicato e letto dopo trecento anni da quando è stato scritto, significa che evidentemente dentro c'è qualcosa che vale la pena. Se è uscito indenne da un filtro così lungo, è più difficile che sia un libro inutile. Lui ragiona così, lo sai. È un uomo d'altri tempi, in tutti i sensi. Ora gli è presa con la Bibbia. Ogni tanto se la rilegge. Bene – e Massimo riequilibrò l'ultimo vassoio girando una tartina di circa nove gradi (o $\pi/20$) – qui abbiamo finito. Ora prepariamo i secchielli e siamo a posto, tanto abbiamo ancora una mezz'ora prima dell'ondata.

Sei

– La storia, per quanto mi riguarda – disse Fusco –
inizia circa vent'anni fa.

Seduto di fronte a Fusco, le mani intrecciate in
grembo e la sensazione epidermica di avere fatto una
enorme cazzata, Massimo cercava di predisporsi ad
ascoltare.

La telefonata era giunta la mattina successiva all'arrivo della lettera, tramite la voce sommessa e devota
dell'agente scelto Galan. Il dottor commissario Fusco
desiderava parlare con il signor Viviani Massimo.
Avrebbe potuto essere il signor Viviani così gentile da
presentarsi, compatibilmente con i propri orari di lavoro, nel primo pomeriggio? Verso le tre? Benissimo,
il signor Viviani è veramente un cittadino modello. Almeno formalmente.

Quindi, dopo l'inevitabile mezz'oretta di anticame-
ra, Massimo era stato ammesso al cospetto della Legge, in tutto il suo metro e sessanta. E adesso stava lì,
ad ascoltare per quale motivo Fusco aveva deciso che
la lettera anonima arrivata a Massimo non era affatto
da prendere sottogamba.

– Nel 1990, per essere precisi – continuò Fusco. – Io allora ero di servizio qui da appena tre mesi. Nel mezzo della notte, fummo chiamati al telefono da una donna che ci disse che veniva fumo da una palazzina della clinica di Santa Bona. Fui io che risposi alla telefonata, per cui mi ricordo esattamente quello che le dico. Vista la situazione, le dissi che forse era il caso di chiamare i vigili del fuoco. Allora questa persona mi rispose che aveva telefonato già ai vigili del fuoco, e che ancora non aveva visto arrivare nessuno. Io allora le chiesi quando aveva chiamato i vigili, e questa mi rispose che lo aveva fatto subito prima di chiamare noi. Va be': se uno non si abitua ai matti, questo mestiere è meglio che non lo scelga. Montiamo in auto, allora ne avevamo due, e arriviamo sul posto.

Fusco separò le mani sopra la scrivania.

– Altro che fumo. Da questa finestra aperta usciva una colonna nera, che puzzava in modo atroce anche da lontano, e si vedevano tante piccole faville incandescenti. Il mio superiore si ferma all'istante. Perché quella finestra è aperta? mi chiede. Lo avevo notato anche io, che tutte le altre finestre erano chiuse. Niente di strano; eravamo in aprile, e la notte era ancora fredda. E tutti e due, automaticamente, guardiamo in basso.

Fusco abbassò lo sguardo insieme all'indice, mimando il proprio gesto di allora.

– Appena accesa la torcia, vedo questo ramo spezzato, che pende giù. Proprio sotto la finestra. Un ramo grosso, qualche centimetro di diametro. Mi è andato via il sangue.

Fusco guardò Massimo con aria solenne, come a dire «e ti sarebbe andato via anche a te».

– Dopo un attimo, mi riprendo e mi incammino verso la siepe sotto la finestra. Inizio a sventagliare la torcia piano piano. E vedo un braccio che spunta, dalla siepe. Sembrava un braccio di gomma. Da quel momento in poi, torno tranquillo. Dio lo sa come mai, ma mi è sempre successo così: quando arrivo sul luogo di una disgrazia, il momento in cui scendo dalla macchina è il peggiore. Poi, quando vedo il morto, ritorno calmo. E anche quella volta andò così, col primo morto della mia carriera.

Fusco fece una pausa piuttosto lunga, poi riprese:

– Alzo gli occhi per cercare il mio capo, e vedo che intorno sono arrivati i vigili del fuoco. E lì inizia la nottata. I vigili a cercare di spegnere il fuoco, e noi a cercare di capire chi fosse 'sto disgraziato che era finito di sotto. Non che l'impresa si sia rivelata troppo difficile; la stanza che ha preso fuoco è lo studio del dottor Calonaci, oncologo. E la faccia che io mi vedo davanti, una volta ripulita, sembra proprio quella del dottor Calonaci, oncologo. Dopo un paio di ore, abbiamo anche il riconoscimento: il cadavere è proprio quello del dottor Calonaci, oncologo. Fino a qui, i fatti.

– Ho capito. Il dottor Calonaci, oncologo, muore dopo essere caduto dalla finestra del suo studio in fiamme.

– Esattamente. Come le dicevo, il riconoscimento lo avemmo quella notte stessa. Venne la sorella, e fu uno spettacolo pietoso. Va be', questo non le interessa, credo. Sta di fatto che chiediamo alla sorella, Benedetta, se se la sente di rispondere a qualche domanda, e per prima cosa le chiediamo se suo fratello aveva qualche motivo per togliersi la vita.

Però. Alla faccia del tatto. Fusco lesse lo sguardo di Massimo.

– Lo so, ma non si può fare in nessun altro modo. Il medico pietoso fa la piaga purulenta, e questo vale anche per il poliziotto.

– Ho capito. E la ragazza?

– La ragazza, Benedetta... – disse Fusco, e con un lievissimo sospiro si fermò.

Sì?

– La ragazza ci racconta una storia.

Fusco aprì un cassetto alla propria sinistra.

– Sono andato a riprendere la deposizione proprio stamattina, in attesa che lei arrivasse. La prego, la legga da solo. I cadaveri non mi fanno nessun effetto, ma tutte le volte che rileggo quelle pagine mi sento svenire.

E Fusco porse a Massimo una cartelletta verde, con l'intestazione «Verbale di sommaria informazione».

Quello che c'era scritto nella cartelletta fece impressione anche a Massimo.

In parole povere, il defunto dottor Calonaci era il fidanzato di Lagia Carratori, una delle figlie del signor Ranieri. Ranieri Carratori aveva avuto, qualche tempo prima, un adenocarcinoma alla prostata, che era stato curato a dovere. Quando il Carratori, all'inizio del 1990, cominciò ad accusare qualche lieve dolore, venne portato a Firenze a fare alcuni esami, in seguito ai quali venne ricoverato nella clinica di Santa Bona; la scintigrafia, infatti, aveva evidenziato la formazione di alcune metastasi ossee. Da lì, nel giro di un paio di settimane, la situazione precipitò. Il Carratori, sottoposto a chemioterapia, cominciò a stare sempre peggio. A perdere i capelli, a non riuscire a stare in piedi, a non riuscire a mangiare. In capo ad un'altra settimana, morì.

Nel corso di questo mese, il dottor Calonaci aveva letteralmente perso il cervello.

All'inizio, il Calonaci aveva avvertito il suocero e i familiari che la terapia prevista era pesante, e gli esiti prevedibili decisamente non positivi. In seguito, aveva continuato ad assistere il suocero, ma aveva ammesso di essere sconcertato dalla risposta del paziente. E, quando il futuro suocero era morto, c'era stato il fatto che aveva causato il tracollo.

La fidanzata, Lagia, lo aveva lasciato in modo improvviso.

E a chi gliene chiedeva il motivo, rispondeva testualmente: «Perché quel deficiente ha ucciso mio padre».

E il Calonaci non aveva retto.

Massimo guardò Fusco in modo interrogativo. Fusco annuì per qualche secondo con la testa, lentamente, prima di rispondere:

– E qui bisogna tornare ai fatti. La famiglia del defunto Carratori, subito dopo il trapasso, chiede un'autopsia. E i risultati dell'autopsia sono abbastanza lampanti. Primo: il tumore diagnosticato dal Calonaci era effettivamente un adenocarcinoma che, però, era stato curato a suo tempo dallo stesso Calonaci ed era sostanzialmente guarito, e non presentava nessuna metastasi a livello osseo. Una roba che non giustificava affatto l'inizio di una chemioterapia, visto che il tumore era tenuto perfettamente sotto controllo dalla terapia ormonale che il Carratori aveva seguito. Due, il Carratori è morto per avvelenamento causato da una sostanza citotossica, che gli ha provocato danni cellulari irreversibili estesi a tutti gli organi. Esattamente gli effetti di una chemioterapia troppo aggressiva e troppo prolungata.

Ah. Be', effettivamente...

– Effettivamente, la signorina Lagia non sembrava avere tutti i torti, no? – disse Fusco, come se leggesse nel pensiero di Massimo. – A quanto pare, il buon dottor Calonaci aveva sbagliato di brutto. Aveva diagnosticato delle metastasi che non c'erano, e aveva deciso una cura che aveva finito per ammazzare il paziente.

– Va be', ma il primo errore non può essere imputabile al dottore – interruppe Massimo. – Non l'avrà mica fatta lui personalmente, la scintigrafia.

Hai ragione, disse la testa ondeggiante di Fusco, aprendo le mani come per scusarsi.

– Lo so, caro signor Viviani. Ma la terapia è stata decisa dal Calonaci in persona, ed era una terapia piuttosto pesante, visto che oltretutto sembrava che il Carratori fosse in buone condizioni generali. Ed ha insistito per eseguirla lui. Il futuro suocero era una persona cara, e lui voleva seguirlo passo dopo passo.

Ah be'. Meno male che gli era cara. Se gli era indifferente che faceva, lo decapitava?

– E quindi, proprio su di una persona a lui particolarmente cara, quest'uomo avrebbe commesso un errore così grave?

Fusco guardò Massimo negli occhi.

– Ecco, appunto. È proprio qui che la cosa smette di convincermi.

Fusco si alzò dalla sedia e si andò a piazzare sul davanzale, appoggiando le chiappe sullo spigolo, in una posizione che non sembrava esattamente il massimo del comfort.

– Tutti i medici sbagliano, signor Viviani. Anzi, statisticamente, di solito i medici sbagliano di più proprio con le persone care. È un fatto, sa? Però, che un medico così preparato come il Calonaci abbia fatto un errore così, che non si sia fatto venire degli scrupoli quando ha visto che il suocero peggiorava, proprio nel curare il padre della sua futura moglie, e suo amico... mi è sempre stato difficile da mandare giù. Lei è sposato, signor Viviani?

– Lo ero. Poi mi hanno guarito.

– Anche a me è successa la stessa cosa. E con la mia ex moglie non parlo praticamente più. Invece, con mio suocero mi sento più o meno tutte le settimane. Andiamo a pescare insieme, solitamente. Vede, se ripenso alla mia vita, mi rendo conto che mi sono sposato con mia moglie principalmente perché mi trovavo bene con suo padre.

Massimo ripensò al suo ex suocero. Una delle persone più invadenti con cui avesse mai avuto a che fare. Aveva l'abitudine di entrare in casa di Massimo con le proprie chiavi, che si era fatto fare di straforo dalla figlia, e una o due volte Massimo era tornato a casa e lo aveva trovato sul divano che guardava la televisione. Roba da fargli ingoiare il telecomando di traverso.

– Ecco, signor Viviani, per il poco che ho visto quando erano ancora vivi, e per il molto che mi è stato raccontato, ho avuto la sensazione che la situazione fosse esattamente la stessa. Ne sono certo. Non so come spiegarglielo, non ho elementi probatori o altro. Lo so, perché ho vissuto la stessa cosa. E questo tarlo mi rosica da anni.

E c'era altro.

Massimo non sapeva cosa, ma la spiegazione del Fusco lo convinceva solo a metà. O meglio, le parole della spiegazione erano tutto sommato plausibili; era l'atteggiamento del Fusco mentre le pronunciava che non ci si accordavano. Mentre parlava, Fusco aveva portato la mano destra al mento, e aveva cominciato a pizzicarsi il labbro, mentre gli occhi guardavano in basso, verso la sua destra. Lo stesso gesto che, anni prima, Massimo aveva visto fare alla propria ex moglie (quella maiala) la prima volta che le aveva chiesto se doveva andarla a prendere dopo la palestra, e lei gli aveva spiegato che no, dopo andava al cinema con Miranda. Che poi, in seguito, si era rivelata essere Alessandro, e non essere solito portarla esattamente al cinema. Certo, poteva essere una combizione. Però la sensazione era che il Fusco non gli stesse dicendo esattamente tutto.

Fusco si spostò dal davanzale e tornò a piazzarsi dietro alla scrivania.

– E adesso, con questa lettera, mi rendo conto che avevo ragione io. Che c'era qualcosa che non andava. Che quella spiegazione non era possibile. E quindi, non ho scelta. Questo caso è stato chiuso troppo di fretta, e questa lettera mi obbliga a riaprirlo.

Massimo, molto opportunamente, tacque.

La fine dell'incontro era stata abbastanza standard; Fusco, dopo aver ringraziato Massimo, gli aveva ricordato ancora una volta di far caso a tutto quello che veniva detto nel bar, a proposito della vicenda Foresti-Carratori, e di riferire tutto a lui. Tutto: pettegolezzi, comportamenti, gente che nel bar prima ci veniva e ora non ci viene più, o il contrario. Ma non una parola sul fatto che l'indagine stava ripartendo. Su questo il commissario ci contava ciecamente.

Uscito dal commissariato, Massimo si accese immediatamente una sigaretta. Ne aspirò la prima boccata a pieni polmoni, e poi tentò di soffiar via insieme con il fumo anche il proprio nervosismo.

Ora sono veramente nel casino.

Sette

– Allora, adesso abbiamo un problema. O meglio, il problema ce l'ho io.

Sulla strada verso il bar, confortato dall'ombra gentile della pineta, Massimo si stava interrogando in modo marzullesco (o, se preferite, autoreferenziale) sulla propria situazione.

– Stavolta la cazzata l'ho fatta io, e l'ho fatta veramente grossa. Mi ci hanno portato, certo, però la lettera l'ho scritta io con le mie manine, e quindi è inutile prendersela con qualcun altro. E questo è un classico della mia vita. Sempre circondato da persone che ti levano il fiato giorno dopo giorno, così, per abitudine. E al momento in cui ti ribelli, fai la cazzata. A partire da mia mamma. Massimo te sei troppo ordinato, Massimo vai un po' fuori a giocare, sempre lì con quel joystick in mano prima o poi diventi cieco, tanto gobbo lo sei già, tutti i bimbi normali giocano a pallone e te lì davanti alla televisione a giornate. E io, che sono un genio, studio come un animale, mi laureo e mi sposo. A ventidue anni. Così mi levo di casa. Tanto i soldi ce li ho.

I passi di Massimo, man mano che si incazzava col resto del mondo, aumentavano d'intensità e di velocità, e gli aghi di pino adesso scrocchiavano in modo quasi allegro, abbastanza indifferenti verso l'ira del nostro.

– E ho fatto la cazzata gigante. Poi mi rintano nel bar, che ero convinto che fosse mio, e mi ci ritrovo dentro mio nonno e quegli altri. Che spaccano i coglioni a chiunque entri con delitti veri e presunti. E io, invece di avvelenargli l'amaro, prendo e scrivo una lettera anonima. Così vanno da Fusco, e quello invece di metterli agli arresti ospiziari si commuove e riapre un caso vecchio di millenni, e che oltretutto non esiste. Il tutto grazie a chi? Grazie al sottoscritto. Io vorrei sapere perché. Io non ci credo nel destino, ma Cristo, tutte le volte che tento...

E lì Massimo cominciò letteralmente a litigare con i vecchietti e a rinfacciare loro a trecentosessanta gradi (o, se preferite, 2π) tutti i modi in cui riuscivano ad irritarlo, uno per uno e tutti insieme.

Il problema del litigare ad alta voce con persone che esistono solo nella nostra testa è che questo, solitamente, richiede tutta la nostra attenzione. E così, mentre spieghiamo a nostra moglie che se lei ci mette venti ore a truccarsi è chiaro che poi arrivi al cinema a film iniziato, e troviamo finalmente il coraggio per sfogare tutto il nostro sacrosanto sarcasmo nei confronti di una persona che in realtà è solo un mucchietto di neuroni, tendiamo a distrarci. E, come stava facendo Massimo, a non guardare più dove mettiamo i piedi. Il che, in una pineta, può essere pericoloso.

Infatti Massimo, mentre stava ripetendo per la millesima volta ad Aldo che se non cominciava a comprarsi le sigarette da solo la prossima volta ne avrebbe messa nel pacchetto una con dentro dell'oleandro tritato, appoggiò il piede su di una radice particolarmente nodosa; il piede, scivolando, rimase bloccato in una buchetta ivi residente, mentre il resto del corpo di Massimo grazie all'inerzia dell'incazzatura tentava di proseguire oltre.

Ancora prima di cadere, Massimo si rese conto di essersi fatto molto, molto, molto male.

– Allora, signor... – il tizio in camice azzurro dette un rapido sguardo alla cartelletta – ...Viviani, è proprio il crociato anteriore. Una lesione piuttosto importante.

Sdraiato sul lettino, Massimo stava veramente male.

Se fosse stato un po' meglio, non avrebbe potuto fare a meno di far notare al medico che la parola «importante» non è un sinonimo di «consistente», e che anche se i giornalisti la usano a cazzo di cane da un decennio non è necessario che lo facciano anche i medici. Ma, dopo la giornata che aveva passato, Massimo non era in grado nemmeno di essere pignolo.

Il percorso che lo aveva portato dove si trovava al momento corrente, ovvero in una camera del reparto di Ortopedia della clinica Santa Bona, era stato piuttosto differente da quello che Massimo aveva sempre visto nei telefilm. Nel mondo della fiction, infatti, mediamente i pazienti traumatizzati vengono portati in modo energico da infermieri affidabili e muscolosi, che già mentre aprono le porte forniscono ad alta voce una anamnesi sommaria: qualcosa tipo «maschio, bianco, 35, gli ho sparato io perché la puntata languiva».

Nella realtà, invece, Massimo era stato montato non senza difficoltà su di una barella componibile da due tizi visibilmente imbranati, che nel corso delle operazioni di installazione sull'autoambulanza erano anche riusciti a camminargli sulla gamba offesa. Dopodiché, giunto al pronto soccorso, era stato messo in attesa di un medico in un corridoio stretto e freddo con l'unica compagnia di una bella flebo di Toradol e di un altro infortunato. Purtroppo, il ricoverando in questione era Poverotti, uno dei barboni più noti di Pineta, che si era ferito seriamente le mani tentando, dopo un abbondante aperitivo in cartone, di entrare nella sala d'aspetto della stazione senza accorgersi della porta a vetri. Poverotti doveva il suo soprannome, oltre che alla limitata disponibilità di contante, all'abitudine di cantare a squarciagola le canzoni di Pupo dalla mattina alla sera: abitudine a cui non aveva rinunciato nemmeno dentro a un pronto soccorso.

Dopodiché, Massimo era stato sdraiato su di un lettino, e un dottore dall'aria abbronzata ed efficiente gli aveva abbrancato la gamba con una mano al di sopra del ginocchio e con l'altra al polpaccio, dando subito dopo uno strattone deciso alla tibia.

Massimo, che era curioso per natura, aveva sollevato la testa per vedere cosa stava succedendo, e aveva visto che il tipo gli aveva spostato la gamba dal ginocchio di una distanza terrificante, come se non fosse più attaccata alla sua sede.

Massimo era rimasto come affascinato per qualche secondo, poi aveva deglutito e aperto la bocca per parlare:

– Rimetta immediatamente quella tibia dove l'ha trovata.

Dopo questo giochetto, Massimo era stato traspor-
tato via e messo in una stanzina, nella quale, più o meno una volta ogni ora, entrava un medico a chiedergli
se era stato portato a fare la risonanza.

Intanto, il tempo scorreva e la soluzione nella flebo
di antidolorifico anche, fino a svuotarsi del tutto, per
cui quando venne effettivamente portato a fare la risonanza, cioè circa quattro medici dopo, Massimo stava veramente di merda. Talmente di merda da dimen-
ticarsi di avvertire gli infermieri che lui, Massimo Viviani, esattamente la persona che stavano infilando
dentro un tubo di cinquanta centimetri di diametro, sof-
friva di claustrofobia a livelli patologici.

Massimo aveva smesso di delirare solo un'oretta più
tardi, dopo essere stato portato in una camera con l'u-
nica compagnia di una nuova flebo di Toradol. Non che
adesso stesse bene, no; però, almeno, era in grado di
capire quello che gli veniva detto.

– Crociato anteriore? Quello che si rompono i cal-
ciatori, per intendersi?

– Esattamente. Lei gioca a calcio?

Con questo fisico qui? Massimo scosse la testa.

– Stavo semplicemente camminando. Com'è possibile rompersi un tendine camminando?

– A quanto ho capito, lei ha subìto una torsione della tibia rimanendo incastrato in una radice. Inoltre è

possibile che ci fosse una infiammazione pregressa. Non si può mai dire. Ad ogni modo, un trauma distorsivo può lesionare facilmente dei tendini, specie se afferiscono ad articolazioni che devono sopportare dei grossi carichi.

Però. Prima «importante», poi «afferiscono». Discontinuo, il tipo.

Mentre Massimo studiava il medico, tentando di capire se era affidabile o meno, detto tipo firmò un foglio dentro la cartellina, lo dette all'infermiere che aveva appena finito di sistemare il letto di Massimo e, per la prima volta, lo guardò, con due occhi verde smeraldo che risaltavano abbastanza sulla pelle abbronzata, ma non lampadata. Quindi, sorrise: un sorriso sereno, affabile, ma con aria consapevole. Il genere di persona che uno sarebbe lieto di avere come pilota del proprio volo.

– Senta, mi hanno detto che lei è arrivato qui da solo. Ha necessità di avvertire qualcuno?

Be', effettivamente...

– Si pòle?

Mentre un altro infermiere, una specie di orco con le orecchie da pugile e il naso da pugile, aveva appena finito di installare Massimo sul letto dopo avergli punzecchiato una chiappa, fece il suo ingresso la delegazione ufficiale del bar, composta da Ampelio con i suoi gradi (basco e bastone) e da Aldo carico di sacchetti e pacchettini.

– Allora, bimbo, 'un ti si pòle lasciare un momento da solo. E sì che sei grande oramai. Cosa ti sei fatto?

– Legamento crociato anteriore.

– Proprio rotto?

– Pare di sì.

– E quindi ti devano mette' le mani addosso?

– E quindi mi devono operare.

– Tempo di recupero previsto? – chiese Aldo con fare professionale.

– Eh, ne so meno di te. Dottore?

Il medico, che era appena entrato, chiuse la porta alle sue spalle e guardò il gruppo.

– Eh, un po' di tempo ci vorrà. Prima di due settimane, comunque, di uscire di qui non se ne parla.

Massimo precipitò nello sconforto.

– Due settimane?

– Be', l'operazione richiede i suoi tempi. Già di suo, una settimana di degenza sarebbe necessaria. Purtroppo la situazione non è delle più rosee: lei ha un versamento abbondante e presenta frattura di Segond in abbinamento alla rottura del tendine. Quindi, non può camminare, e non la posso lasciar uscire da qui. Inoltre, l'operazione non si presenta per niente semplice. Per uno o due giorni dobbiamo aspettare che il versamento si riduca. E comunque con i tendini non si scherza. Qui abbiamo a che fare con un legamento fondamentale, non si può fare le cose a cavolo, e la sua situazione pregressa non è delle migliori.

– Ma, scusi, è proprio necessario operarlo? Un mio conoscente ha avuto lo stesso incidente proprio un anno fa, e a lui...

– Quanti anni ha il suo conoscente?

Il medico guardò Aldo con l'aria di incoraggiarlo.

– Una sessantina.

– In questo caso, va bene. L'operazione di solito non è necessaria. Però, quando si tratta di un paziente giovane – il dottore indicò Massimo con la mano, a fugare eventuali ed improbabili dubbi – si deve pensare anche al futuro. E in quest'altro caso l'operazione è necessaria per evitare uno sviluppo precoce di artrosi al ginocchio. La facciamo soffrire un po' prima, signor Massimo, ma in questo modo le evitiamo sofferenze parecchio più fastidiose dopo.

– Via, bimbo, succedano anche cose peggiori.

– Nonno, lo so da me che succedono cose peggiori. Però intanto è l'inizio dell'estate, io avrei un bar appena ristrutturato da mandare avanti e devo passare due settimane qui con una zampa appesa a un attaccapanni. Va bene che uno deve sempre guardare il bicchiere mezzo pieno, ma qui riesce difficile. Comincio a pensare che il mio sia bucato in fondo.

– Ma lo dici te. Penza se t'arrotava una macchina.

Massimo ebbe un gesto di stizza, che gli costò una fitta tremenda nonostante fosse stato abbastanza contenuto. Appena il dolore fu passato, riprese.

– È esattamente questo che mi fa girare i coglioni. Se mi avesse investito un'automobile, un tendine rotto significava che mi sarebbe andata di lusso. Visto che sono inciampato in una radice, un tendine rotto lo classifico come accanimento divino. Mi spieghi perché cazzo ridi?

– Scusa, Massimo – disse Aldo senza smettere di ridacchiare. – È che hai ragione, te con gli incidenti stradali hai sempre avuto un brutto rapporto. Anche quando sei te a mettere sotto qualcuno, alla fin fine sei sempre te quello che ci rimette.

– Non ti seguo.

– Ora vedrai che mi segui. Ti dice niente il nome di Gennaro Gambetta?

Massimo guardò Aldo, e il ricordo gli arrivò addosso improvviso come un gavettone.

Anni prima, quando era in seconda liceo, Massimo aveva preso il motorino e si era diretto verso la scuola, in una mattina di inizio maggio piena di sole. Talmente bella, la mattinata, che Massimo aveva pensato che sarebbe stato un peccato passarla a scuola. E così, giunto di fronte al liceo, invece di voltare a destra e di entrare nel cortile, tirò a diritto in direzione mare.

Purtroppo, al mare Massimo non ci era arrivato mai.

Perché a duecento metri dalla scuola, in corrispondenza delle strisce pedonali, aveva investito il preside.

– La cosa assurda – disse Massimo quando ebbe smesso di ridere, parecchi minuti dopo – è che non gli ho fatto quasi nulla, a quel vecchio merdone. Gli sono passato con la ruota su un piede. Io, invece, mi sono scorticato mezzo. Senza parlare del resto.

– De', me lo riòrdo – mise bocca Ampelio, e si rivolse ad Aldo. – Quando telefonò a casa, su' madre si mise a ride' anche lei. Penzava fosse uno scherzo. Ci mise du' o tre minuti a capi' che 'r bimbo aveva arrotato Gambetta per davvero. A proposito, la tu' mamma lo sa che sei qui. Gliel'ho dovuto dire io.

– Lo so, nonno, hai ragione. Per prima cosa ho pensato a chiamare al bar. Poi ho pensato che glielo avreste detto voi.

– Ma te fai quello che ti pare, bimbo, per carità. Figurati se 'r tu' nonno non è contento, che tu chiami Tiziana prima della tu' mamma.

– Nonno – disse Massimo mentre virava verso il porpora – il fatto che abbia chiamato Tiziana è dato dal fatto che dovevo avvertire il bar.

– Oddai, Massimo, è normale che tu pensi a certe cose – disse Aldo con aria confessionale. – Mi sembra naturale che tu abbia delle mire espansionistiche nei confronti di Tiziana. E non ci vedo niente di male. In fondo sei libero. E, te l'ha detto anche il dottore, sei giovane.

– Tante grazie. Rispetto a te, che hai tre piedi nella fossa, sono giovane. Rispetto a Tiziana, sono un quarantenne con la schiena curva destinato alla monogamia a vita. Secondo te chi chiamavo, la nettezza urbana? Dovevo avvertire al bar che non sarei tornato prima di un tempo non stimabile. E ora ho scoperto che devo stare chiuso due settimanette.

– Non è detto. Guarda che... – disse Aldo.

– Hai ragione. Posso trasferire il bar su un carrellino come quelli che usano sui treni e passare per tutto l'ospedale a vendere panini.

– No, Massimo, ascoltami un attimo... – ritentò Aldo.

– Con la roba che ti danno da mangiare qui dovrei

fare affari d'oro. Mi faccio mettere un pattino attaccato al gesso...

– Pensavo che potrei tenertelo io, il bar.

Massimo si azzittì.

– Io devo stare fermo un altro mese o due, comunque vadano le cose. Allora, avrei pensato che in questo periodo che te devi stare qui, al bar posso pensarci io. Metto Tavolone in cucina a fare la roba per l'aperitivo, così almeno lo pago per qualcosa, e io e Tiziana pensiamo alla sala. Così tre dei cinque sensi sono a posto. All'olfatto ci pensa la pineta, e per il tatto magari mettiamo dei piccoli peluche sui tavoli, oppure facciamo tastare il Del Tacca a pagamento.

– E come si fa? Otello è un tuo dipendente, e poi...

– A quello ci penso io. A te va bene?

Cavolo se mi va bene. Mi salvi.

Mentre incominciava a vedere il liquido nel bicchiere che saliva, Massimo annuì.

– Allora, affare fatto. Domani vedrai che ti porto un po' di roba da firmare. Quanto a ora... – Aldo incominciò a frugare nei sacchetti – il dottore ha detto che puoi mangiare di tutto, no?

Aiuto.

In sequenza, Aldo mise sul tavolino di fronte a Massimo un mastello con dentro la sua personale versione dell'insalata Waldorf (mele, noci, indivia belga, toma d'alpeggio, aceto balsamico) in un quantitativo sufficiente per circa sei persone, un cartoccio con circa tre etti di culatello, una betoniera di baccalà mantecato e una targa di schiacciata grossa come un inserto di «Playboy».

– Per stasera ti ho fatto preparare due cosine veloci, ma l'importante è che tu mangi qualcosa per sostenerti. Da domani si guarda di andare un po' più sul serio. E questo per il nutrimento del corpo. Per quanto riguarda il cervello...

E Aldo mise sul tavolino accanto a Massimo una pila di libri.

– Scusa se mi sono permesso, ma ho pensato che dovendo stare in questo posto correvi il rischio di romperti i coglioni non poco. Avevo pensato di portarti anche della musica, ma non credo che abbiamo esattamente gli stessi gusti. Invece, coi libri vado sul sicuro.

– Be', lo prendo come un complimento.

Quello che Aldo gli aveva posato sul comodino, infatti, era una specie di vademecum del pensiero occidentale. Seneca. Voltaire. Boccaccio. Borges. Kierkegaard.

– Questo te lo puoi anche riportare a casa – disse Massimo sporgendosi ed estraendo dalla pila *Il castello* di Kafka. – Ho provato a incominciarlo due volte e tutte e due le volte al capitolo quattro ho cominciato a pensare al suicidio. Un gialletto no?

– Senti, di libri che in questo momento ti farebbero passare il tempo bene ne avrei un centinaio. Devi anche tenere conto che sono un povero vecchio con l'artrite alle mani e la fossa vicino ai piedi, come cortesemente mi ricordavi poc'anzi, e più di un certo peso non reggo. Apprezza lo sforzo, no? Ti ho portato una ventina dei libri che amo maggiormente. A proposito, se vuoi un consiglio, visto quello di cui si parlava prima...

E Aldo tirò fuori dalla pila un libretto smilzo e lo porse a Massimo con fare sacerdotale. Direttamente dal Vecchio Testamento, ma nella nuova traduzione di Erri De Luca, Massimo si vide mettere in mano nientepopodimeno che l'Ecclesiaste (o, se preferite, Kohèlet).

Massimo guardò il libretto, e poi alzò gli occhi verso Aldo, che annuì con fare sapiente.

– Si diceva prima che il giudizio che diamo delle cose che ci accadono dipende da noi, giusto? L'uomo spesso non è in grado di evitare il male, e quasi mai riesce ad apprezzare le cose belle che gli capitano. E tu non mi sembri fare eccezione. Allora, in un mondo del genere, con ambizioni sproporzionate rispetto alle nostre reali e misere capacità, è possibile essere felici? È questo il tema del libro che hai in mano. Secondo me, male non ti fa.

Massimo guardò il volume, e pensò che da Aldo in quel periodo non poteva aspettarsi altro.

Otto

La prima notte di ospedale Massimo la passò leggendo.

Non l'Ecclesiaste, no. Non gli sembrava il caso di porsi la domanda «è possibile essere felici?» immediatamente prima di un intervento chirurgico che lo avrebbe immobilizzato per una decina di giorni. Era ovvio che la risposta era «no». Però, Aldo gli aveva portato solo classici, e a quelli toccava attingere.

Dopo qualche minuto, aveva scelto a colpo sicuro *La natura delle cose*. Lucrezio.

Sarebbe bellissimo, qui, dire che Massimo aveva scelto questo libro attirato dal fascino dell'uomo razionale che lotta contro un mondo dominato dalla superstizione, e curioso di accostarsi al pensiero di uno dei primi interpreti della natura nei termini dei propri sensi. In realtà, Massimo era andato deciso su Lucrezio avendolo giudicato l'unica cosa talmente pallosa da fargli venire sonno in un tempo ragionevole. E invece, inaspettatamente, il sonno gli andò via.

Un genio. Quest'uomo era un genio.

Mentre Massimo leggeva, i suoi sentimenti oscilla-
vano tra la tenerezza per l'ingenuità con cui Lucrezio
si affidava completamente alla sua esperienza, senza ammettere tramiti né di tipo cellulare né di tipo divino,
e l'ammirazione per le osservazioni quasi stregonesche
con cui aveva anticipato alcune caratteristiche della materia.

Massimo, da studente, aveva scoperto la chimica
molto tardi, e in modo collaterale: quando aveva dovuto scegliere il suo argomento di tesi, aveva optato per
l'elaborazione di un algoritmo per il calcolo dell'energia libera nella dinamica molecolare. In quell'annetto
di lavoro Massimo si era appassionato alla chimica, e
aveva scoperto una valanga di cose su come la forma e
la dimensione delle molecole conferiscano alla materia
le sue proprietà fisiche. Come, per esempio, la visco-
sità dell'olio, la cui spiegazione stava leggendo in quel
momento.

*Vediamo il vino traversare il filtro in un istante, men-
tre il pigro olio non passa che lentamente; perché forma-
to da elementi più grandi o più uncinati e tra loro intri-
cati, che non possono separarsi abbastanza rapidamente per
scorrere ad uno ad uno e separatamente...*

Ma pensa te quest'uomo. È vero, l'olio è fatto da ca-
tene lineari di acidi grassi. Ed è proprio la loro lunghez-
za, la loro flessibilità a farle scorrere male. Più facile
mescolare un piatto di gnocchi che uno di spaghetti.
Ma pensa te. Al povero Staudinger, quando ipotizzò

che forse le sostanze gommose erano fatte di molecole molto lunghe, in un primo tempo gli risero in faccia. Si vede che non avevano letto Lucrezio.

Si aggiunga che il latte e il miele lasciano nella bocca un sapore gradevole alla lingua, mentre il ripugnante assenzio, la selvaggia centaurea ci fanno arricciare il naso per il sapore infetto: riconoscerai con facilità che gli atomi lisci e rotondi formano corpi capaci di colpire piacevolmente i nostri sensi, e tutte le sostanze amare ed aspre al gusto sono formate da un tessuto fitto di elementi uncinati; strappano, dirompono le vie di accesso ai sensi, e maltrattano i nostri organi forzandone l'entrata...

E qui, bel mi' Tito Lucrezio, l'hai buttata un po' di fuori. Intendiamoci, eri un paio di millenni in anticipo rispetto ai tuoi contemporanei, e sapevi una sega te di cos'è un recettore. Hai fatto anche troppo. C'è una connessione diretta tra peso molecolare e gusto? In effetti, sono le molecole piccole quelle che possono stimolare i nostri recettori. Piccole, e volatili. Sia gradevoli che sgradevoli, è roba che evapora facilmente...

E qui, Massimo si bloccò un attimo.

Ragionò un po' su quello che gli era venuto in mente, fece due o tre prove mentali, ed infine scrisse il risultato delle sue elucubrazioni sul palmo della propria mano, come faceva sempre quando voleva essere sicuro al cento per cento di ricordarsi qualcosa il giorno successivo. Infine, mentre chiedeva scusa mentalmente a nonno e riconosceva che anche nella sua situazione il bicchiere poteva effettivamente essere mezzo pieno, posò la testa sul cuscino e si predispose al sonno.

Lucrezio era un genio, d'accordo. Ma anch'io, ogni tanto...

– Si pòle?

Stavolta la delegazione era al gran completo.

La mamma di Massimo aveva telefonato quattro ore prima, quando il nostro era ancora sotto i ferri e quindi non in grado di rispondere, e nelle due ore successive era stato troppo impegnato a sentire dolore per ricordarsi di richiamare.

Adesso, grazie all'azione coordinata del tempo e del Toradol, Massimo stava molto meglio, e quindi accolse con un sorriso sereno i quattro giovanottini e una Tiziana in gran forma, jeans attillati e un top nero con un ovale ritagliato che era una roba da ridare la vista ai ciechi.

– Ma che piacere. Un ex matrimonio e quattro quasi funerali. Venite, venite da Massimo. Massimo vi accoglie volentieri.

– Stronzo ma solenne – disse Aldo sedendosi. – Ti senti bene, via.

– Non mi lamento. Credo che sia più che altro merito della chimica. Adesso devo solo aspettare, temo.

– Badalì – lo confortò Ampelio. – Alla fin delle fini, devi sta' a letto fermo. Finché si riòrdano di cambiatti la padella, stai come un papa.

– Sai, Ampelio, magari la padella non è in cima alle sue priorità – interruppe Aldo. – In fondo la prostata ce l'ha ancora, lui.

94

Fermo, fermo. Per una volta nonno, pur parlando a sproposito, mi ha ricordato che c'è una cosa importante da fare. Me n'ero quasi dimenticato.

– Ascolta, Aldo, avrei bisogno di un piacere – disse Massimo con voce il più chiara possibile.

– Dimmi, Massimo.

– Hai presente il Gorgonoide?

– Chi?

– Il Gorgonoide. Il troll di montagna. Quel frammento di umanità che abita sopra di me.

– Hai voglia. L'ho visto e l'ho sentito. Olio di colza, credo, ma non ne sono sicuro...

– Ecco. Se mi dai una mano, avrei una piccola vendetta da commissionarti.

Massimo parlò per cinque minuti. Alla fine, l'opinione pubblica era divisa.

Sei veramente bastardo, diceva la faccia di Tiziana.

Massimo da Vinci, dicevano le facce dei vecchietti.

– Tutto chiaro, allora?

– Chiarissimo. Una sola domanda: sei sicuro che le finestre siano sempre aperte?

– Sicurissimo. Se ci vai di pomeriggio, ci trovi il Colosseo.

– E va bene. Hai un bastone abbastanza lungo, o me lo devo procurare?

– Nessun problema. Sali sulla scala e prendi il mezzo marinaio che trovi nella casetta di legno. Con quello ci arrivi agevolmente.

– Benissimo. Però, Massimo, è possibile che la fase

acuta duri più di due settimane. Quando torni a casa potrebbe ancora esserci un qualche strascico.

– Possibile, ma accettabile. E scarsamente probabile: così come le goccioline d'olio in sospensione sono pesanti, e vanno verso il basso, così gli acidi organici sono molto volatili. Vanno verso l'alto. Sono molecole diverse. Lo dice anche Lucrezio.

– Che fa, incomincia già a delirare? – disse il dottore affabile entrando all'improvviso. – Non va bene, signor Viviani, non va bene affatto. Se vuole delirare per la febbre deve aspettare la notte. Così possiamo legarla al letto e ci sfoghiamo un po' anche noi.

Ci fu un rapido giro di presentazioni.

Piacere, Rimediotti.

Piacere, Cesare Berton.

Piacere, Aldo.

Piacere.

Piacere, Tiziana.

Piacere mio.

– Io sono 'r su' nonno – disse Ampelio, come se questo dovesse bastare.

– E io sono il suo chirurgo – disse il dottor Berton. – Allora, signor Viviani, posso parlare?

– Prego.

Per una volta che qualcuno me lo chiede…

– Bene. L'operazione è andata bene. Abbiamo ripreso il tendine e ridotto la frattura. Non ci sono stati problemi, di nessun tipo. Oggi e domani lei deve solo riposarsi. Dormicchi, legga, guardi la televisione, si rompa un po' le scatole. Da leggere ne ha, vedo.

– E noi ni se n'è portato dell'artro – disse il Rimediotti estraendo il «Tirreno» dalla tasca interna della giacca. – Tanto più che c'è un artìolo dove parlano di noi.

– Di noi?

– Sì, inzomma, della nostra faccenda.

Massimo tese una mano e strappò, con meno malagrazia di quanto avrebbe voluto, il giornale dalle zampe del Rimediotti. Il giornale era già aperto e ripiega-
to sulla pagina in questione.

Dopo averlo spiegato, con una certa fatica, Massimo
lesse il titolo in silenzio.

Malattia o delitto? Lo strano caso Carratori.

– Non me la sento di leggerlo – disse flebilmente, posando il giornale a fianco.

– E che problema c'è? – disse il Rimediotti con convinzione, arraffando il giornale. – Ma scherzi davvero? Ti si legge noi.

Non intendevo questo, avrebbe voluto dire Massimo.

– «Nuovi inquietanti retroscena nella morte del noto immobiliarista. Servizio di Pericle Bartolini. Pineta. A vent'anni dalla morte, avvenuta nella primavera
del 1990, si riaccende l'interesse intorno alla scomparsa di Ranieri Carratori, spentosi in una camera della clinica di Santa Bona di una malattia dolorosa ed improvvisa. Talmente improvvisa ed inaspettata che, in alcuni ambienti, si incomincia ad insinuare il dubbio che
la morte del costruttore potrebbe non essere stata ac-
cidentale. La realtà di cronaca degli ultimi anni, d'altronde, ci ha mostrato come sia stato possibile getta-

97

re luce su dei crimini efferati commessi decenni prima, e i cui responsabili erano sfuggiti alla giustizia. Nulla da stupirsi, quindi, che anche sul nostro litorale vengano a galla sospetti su fatti avvenuti ormai nello scorso millennio».

In una pausa, mentre il Rimediotti sollevava per un attimo la puntina del grammofono, Massimo dette un'occhiata alla faccia del dottor Berton.

Che era immobile, la penna a mezz'aria sulla cartelletta e gli occhi smeraldini puntati sul vegliardo declamante. Il quale, indifferente allo sguardo, dopo aver ripreso fiato continuò, col suo tono alto e impersonale:

– «Ad avviare questi sospetti, pare ci siano alcune coincidenze singolari che riguardano la compravendita di Villa del Chiostro, la residenza di famiglia dei Carratori, che era stata eretta dal nonno di Ranieri, Tarcisio Carratori, nei primi anni del secolo scorso. I Carratori infatti erano noti per la loro abilità e spregiudicatezza in campo edilizio, e Ranieri aveva messo su un vero e proprio impero, riuscendo ad aggiudicarsi alcune commesse miliardarie, come quella per lo smantellamento e la ristrutturazione del complesso CAMEN, la quale rimane l'ultima portata a termine dalla ditta, sfaldatasi in seguito alla scomparsa del proprio uomo guida, immediatamente seguita dalla scoperta di una gestione finanziaria che oggi verrebbe definita "creativa"».

Gino prese fiato una seconda volta, e questo permise ad Ampelio di inserirsi e commentare:

– Boia, senti lì cosa si sono andati a riorda'. Ir CAMEN. Ti rendi 'onto che roba ci s'aveva sotto casa?

– Mamma mia... – disse Pilade.

– Cosa sarebbe questo CAMEN? – chiese Tiziana.

– Centro per le Applicazioni Militari dell'Energia Nucleare – spiegò Aldo. – Un posto nato negli anni cinquanta, ufficialmente per studiare possibili difese in caso di attacchi nucleari. In realtà, lo sa il Grande Architetto cosa ci facevano. Però alcune cose le so per certo. È una storia molto italiana, un giorno te la racconto.

Avendo avuto tutto il tempo per ventilare l'anziano polmone, il Rimediotti riprese con enfasi:

– «I grossi ammanchi riscontrati potrebbero quindi, in teoria, avere a che fare con la vendita della casa di famiglia: vendita che, come ricordavamo, avvenne in circostanze piuttosto singolari, tanto che oggi destano più di un sospetto. La casa venne venduta con la formula della nuda proprietà, infatti, la quale consente al venditore di rimanere come inquilino vita natural durante. La dipartita di Ranieri Carratori avvenne quasi in concomitanza con la stipula del contratto, per cui l'acquirente poté prendere possesso dello splendore di Villa del Chiostro molto in anticipo sul previsto».

E qui il Rimediotti si fermò di nuovo, per rifornire gli alveoli. E Ampelio non perse occasione.

– Lei se lo riòrda, dottore, di Ranieri Carratori?

Il dottor Berton, che era rimasto con lo sguardo fisso sul Rimediotti, girò la testa verso Ampelio, e ci mise un po' a metterlo a fuoco. Dopo di che, gli occhi piantati sul vegliardo come due rampini, fece su e giù due o tre volte con la testa, con aria grave.

– Me lo ricordo sì – disse il dottore. – È morto proprio in questo letto.

Quando si fa una figura di merda, la cosa importante è essere pronti a cambiare discorso. E, di solito, i quattro aprostati erano piuttosto bravi in questo genere di virate verbali. Invece, quel giorno, no.

Sarà il caldo, sarà il disagio, sarà che il dottore aveva piantato in faccia ad Ampelio uno sguardo che in confronto Clint Eastwood sarebbe sembrato Heidi, ma tempo un minuto scarso Ampelio e gli altri, dopo aver augurato una o due bischerate a Massimo e biascicato un saluto a mezza bocca nei confronti del dottore, avevano preso cappelli e bastoni e si erano levati tre passi da quel che ci fa rima.

Rimasti soli, Massimo aveva guardato il dottore con rinnovato rispetto. Quest'ultimo, dopo aver controllato la flebo e aver armeggiato con un apparecchio ai piedi del letto di Massimo, si tolse la penna dal taschino, segnò una cosa sulla cartella e poi, guardando rigorosamente fuori dalla finestra, disse:

– Spero di non averle creato problemi.

– Si figuri. Anzi, se un giorno lei dovesse seccarsi di fare il primario, le offro fin d'ora un posto di cameriere nel mio bar. A scrivere su di un blocco stando in piedi, a quanto vedo, ne è capace. A levarmi mio nonno dalle palle, anche. Quindi, avrebbe tutti i requisiti.

Il dottore sollevò un angolo della bocca. Poi si arrese, e sorrise.

Con quel sorriso lì chissà quante infermierine casti-
ghi nei turni di notte, caro il mio bel primarione.

– Troppo gentile – disse il dottor Berton. – Per rin-
graziarla, la rassicuro. In quel letto lì non c'è morto proprio nessuno. Siamo a Ortopedia, qui. Di solito uscite con le vostre gambe. Zoppi, forse, ma vivi. No, il
fatto è che quella storia di cui parlavano suo nonno e
gli altri io l'ho vissuta sulla mia pelle.

– Capisco.

Non è vero, ma quando uno mi parla dei momenti tri-
sti della sua vita è l'unica cosa che mi viene da dire.

Il dottore restò in piedi davanti alla finestra, senza
accennare ad andarsene.

Ci fu qualche secondo di silenzio.

Poi Massimo decise.

– Parla lei o chiedo io?

Il dottore guardò Massimo, e sorrise di nuovo. Inutile far finta. E cominciò.

– Vede, io non conoscevo affatto il signor Carratori. Ma ero molto amico del medico che lo ha curato
quando venne ricoverato qui.

– Davide Calonaci.

– Lo conosceva?

– Non è il primo che me ne parla.

Nove

– Quando Ranieri Carratori venne ricoverato, all'inizio tutti presero la cosa molto sottogamba, credo. All'inizio, quest'uomo sembrava quasi in villeggiatura. Mi ricordo che arrivò qui con una valigia di effetti personali e una piena di libri. Come lei, più o meno. Solo che lui si era portato dietro solo gialli. Se proprio devo morire, diceva ridendo, perlomeno voglio tanta gente a farmi compagnia.

Evidentemente, il dottor Berton aveva rotto le cataratte. Dopo un breve preambolo sulla propria amicizia con Davide Calonaci, il dottore si era seduto sul letto accanto a quello di Massimo (che al momento era privo di degente, va detto per tranquillizzare il lettore, va bene che a volte i medici sono inumani ma a tutto c'è un limite) e aveva cominciato quello che aveva l'aria di essere un racconto piuttosto lunghetto.

A letto, la schiena tirata su da un monte di cuscini, Massimo taceva.

– I primi giorni venivano a fargli visita tutti i parenti, a rotazione. Era una famiglia di quelle teocentriche, di una volta, ha presente? Il patriarca lì, a letto, solido, beato, consapevole, e tutti intorno a rendere omaggio. Una volta, mi ricordo, arrivò mezza famiglia, con tanto di figlio accompagnato da moglie incinta di due mesi. Me lo ricordo ancora, quel giorno, perché fra l'altro era il mio compleanno. Il sedici di marzo. Era tutto nei suoi cenci, come dite voi da queste parti. Abbracciò la nuora, baciò il pancione, anche se ancora non c'era, e si lasciò andare a qualche sproposito. Cose da vecchi patriarchi, sa: disse che era commosso, parlava del feto come di colui che avrebbe contribuito a rendere immortale il nome della famiglia del nonno nei secoli, e cominciò a chiedere a Davide e alla fidanzata quand'era che anche loro si decidevano a sposarsi e a dargli un nipotino. Ci mancava solo che benedicesse tutti. Quasi euforico, direi.

– Ah. Non è un po' strano?

Il dottore guardò Massimo un po' di sbieco, e Massimo si spiegò.

– Intendo, dato che si sta parlando di uno in cura per un cancro, di solito l'euforia resta in cortile, no?

Il dottore ondeggiò la testa un attimo.

– Guardi, non è detto. L'ho visto accadere, e non una volta sola. È l'effetto del cortisone, principalmente. In questi casi viene somministrato spesso, aiuta il paziente a tenersi su. E ha anche un effetto tangibile sul morale: uno si sente sicuro di sé. Allegro e sfrontato, mi capisce? I piloti di Formula 1 lo usavano ai tempi eroici, negli anni sessanta, quando a ogni gara ne decollava uno. Comunque, ci può stare. È stato di quell'umore lì per una settimana, circa. Poi...

Il dottore respirò a fondo.

Poi era cominciata la parte brutta.

I capelli che cadono.

La nausea continua. La diarrea.

La debolezza che ti parte dalle ossa, come se ti avessero cambiato il materiale di cui è sempre stato fatto il tuo corpo. E il buonumore che scompare, da un giorno all'altro.

Mentre il dottore raccontava, Massimo aveva cambiato completamente atteggiamento.

All'inizio, si era appoggiato comodamente sui cuscini, preparandosi ad ascoltare un piccolo sfogo personale, magari aiutando il dottore con qualche domanda di cortesia. Un po' perché il dottore gli era decisamente entrato in simpatia, certo. Un po' per l'insolito piacere di sentire due chiacchiere pomeridiane sugli anni novanta che furono, invece che sui novant'anni che incombono.

Adesso, invece, Massimo si era raddrizzato sul letto, per quanto poteva vista l'imbragatura che gli imprigionava la zampa appena operata, e ascoltava ogni parola del dottore con assoluta concentrazione. Ad un certo punto, cominciò ad avere voglia di fare domande, come faceva a scuola quando era sicuro al novanta per cento di aver capito, ma non voleva essere disturbato nemmeno da un'ombra di dubbio. E, dopo qualche minuto, non resse più.

– Mi scusi, dottore – chiese Massimo – quello che lei mi sta descrivendo è il normale decorso di un cancro alla prostata?

– No. No, affatto. Per nulla. Quello che successe fu... – il dottore prese un respiro, e guardò in basso. – Non so come spiegarglielo. Fu come se...

– Fu come se il suo amico avesse completamente sbagliato le dosi della chemioterapia?

Il dottor Berton, nel corso del discorso precedente, aveva lentamente chinato la testa. Sentita la domanda, la rialzò.

– Lei sa come vengono stabilite le dosi di alcuni farmaci?

– No – ammise Massimo. – Non ne ho la più pallida idea.

– Nel caso di una chemioterapia, i criteri usati sono criteri piuttosto severi. Detto questo... – il dottore si sistemò una piega assolutamente inesistente sui pantaloni – ... detto questo, in medicina spesso due più due fa dodici. Le racconto una storia, per darle un'idea: una volta, negli anni sessanta, dei medici statunitensi provarono a somministrare dell'LSD ad un elefante. Stabilirono la dose con un criterio molto semplice, come si fa spesso in medicina, e cioè scalandolo con il peso. Se ad un uomo, che pesa settanta chili, do uno, ad un elefante di sette tonnellate dovrò dare cento. Secondo lei cos'è successo?

– Non saprei. Noi vediamo gli elefanti rosa, forse lui ha visto degli umani grigi.

Il dottore sorrise.

– Non proprio. Appena buttata giù la dose è stato scosso da un fremito, ha irrigidito le zampe ed è crollato in terra. Morto stecchito –. Il dottore guardò Massimo ed annuì. – Proprio così. Perché, vede, il fatto è che questi sempliciotti avevano completamente sbagliato la dose. Anche se un elefante pesa cento volte un essere umano, il suo cervello è circa dieci volte quello di un umano. Per cui la dose calcolata, e propinata, era assolutamente fuori dal mondo.

Il dottore si alzò in piedi e cominciò a camminare.

– Di esempi ce ne sono tanti. Se noi prendessimo un topo, che pesa un etto, e gli dessimo da mangiare un centesimo di quello che mangia un bambino di dieci chili, lo faremmo morire di fame nel giro di qualche giorno. Se noi prendiamo un omino di un metro e sessanta scarsi e che pesa cinquanta chili coi vestiti bagnati, come il compianto Carratori, come lo dobbiamo trattare?

Il dottore smise di camminare.

– Io, per conto mio, so che Davide non è responsabile della morte di quest'uomo. Aveva letto le analisi, aveva deciso la terapia, punto. Ma so anche che qualcun altro la pensava diversamente.

– Se stesso incluso?

Il dottor Berton guardò Massimo, come a chiedersi se questo tizio non cominciasse ad esagerare con le domande. Poi parlò guardandolo negli occhi, e annuendo lentamente.

– Sì, è così. È così. Davide era convinto di aver causato la morte del suo futuro suocero. È esattamente per questo, e per quello che ne è seguito, che poi ha fatto quel che ha fatto.

– È permesso?

E di tutte le visite che si aspettava, o si immaginava, questa era in assoluto una delle più sorprendenti.

Mentre Massimo ripensava a quello che gli aveva detto il dottor Berton, sulla porta della sua camera si era appena affacciata una divisa, contenente il dottor commissario Vinicio Fusco in persona. Sguardo austero e atteggiamento professionale, nonostante l'occasione, il braccio cortino della legge aspettava sulla soglia l'autorizzazione ad entrare, con il collo lievemente proteso in avanti.

– Dottor Fusco, buongiorno. Prego, prego. Guardi, lì c'è una sedia.

– La ringrazio, mi fermo solo pochi minuti. Il tempo di qualche informazione.

Ma che gentile, il Fusco. E io che penso sempre male di lui. E invece? Si vede che la signorilità innata del Mezzogiorno colto e l'educazione militare fanno miracoli.

– La ringrazio del pensiero. Qui tutto procede bene, mi dicono. Il tendine è stato riparato con un paziente lavoro di cesello, e fra qualche giorno...

Il dottor commissario si schiarì la gola.

– Mi perdoni, signor Viviani, non sono qui per avere informazioni da lei sul suo stato di salute. Sono qui per darle io alcune informazioni.

– Riguardo al mio stato di salute?

– Non esattamente. Ma prima, mi consenta di farle una domanda. Si ricorda di quando, tre anni or sono, davanti al suo locale scoppiò una rissa?

E come no. Pisani contro livornesi, dal punto di vista geografico, o dementi contro deficienti, da quello logico. La classica rissa di ferragosto, innescata seguendo tutti i dettami della tenzone poetica secondo le regole cortesi, da Dante in poi: proemio («bello, arzati un po' alla sverta, quella lì è la mi' macchina»), excusatio («Quale, questa? Te l'immagini, mi c'ero appoggiato un attimino, 'un ti ci stavo mìa sartando sopra»), accusatio manifesta («Appoggiato una sega, guardalì, è tutta graffiata, e ora?»), provocatio («E ora disinfettala, sennò piglia 'r tetano»), petitione («Pigli per ir culo?»), catarsi («No no, è che de', con settanta chili di merda che deve porta' a giro tutte le sere, a veni' un'infezione è un attimo»). E, quindi, giù botte, in quello stile grottesco e privo di tecnica che è di prammatica nel galateo delle risse estive.

Massimo, dopo che era già volata qualche seggiola, aveva chiamato il 113 e si era buttato nella zuffa vincendo la sua naturale e sana codardia nel tentativo di sedare gli animi, con l'unico risultato di una camicia strappata, una vetrata rotta e diversi dubbi avanzati dagli altri partecipanti sull'identità della sua figura paterna.

Però, ora, cosa c'entri tutto questo mi sfugge.

– Come forse si ricorderà – continuò Fusco – la pattuglia intervenuta nell'occasione identificò una decina di partecipanti. Incluso lei.

– Sì, certo. Ma io volevo solo calmare gli animi. Non è che fossi entrato col randello, stavo solo tentando...

– Mi ricordo, non si preoccupi. Non la sto accusando di aggressione. Però nell'occasione, come forse ricorderà, le vennero prese le impronte digitali.

E Fusco tacque.

– Me lo ricordo sì – disse Massimo dopo qualche secondo. – Ci rimasi anche male, se devo essere sincero. Mi spiegarono che era semplicemente la prassi.

– Esattamente. In questi casi, è una operazione dovuta. Ora, signor Viviani, le dovrei fare una domanda.

– Non doveva darmi un'informazione?

– L'informazione è insita nella domanda. Mi spiega per quale motivo, sulla colla della sigillatura della lettera anonima che è arrivata al suo bar, e che da verbale risulta che lei non abbia aperto personalmente, ci sono due impronte digitali che coincidono in modo inequivocabile con le sue?

Oh, merda.

Massimo si guardò intorno. Però, dato che nessuno degli avanzatissimi strumenti tecnologici presenti nella stanza – un manometro per l'ossigeno, un cardiofrequenzimetro digitale e altre meraviglie dell'elettronica medica – sembrava in grado di dargli una mano, dopo qualche secondo riportò gli occhi su Fusco. Che non aveva cambiato né posizione, né espressione.

Dopo una pausa un po' più lunghetta di quanto ce ne fosse bisogno, Fusco riaprì bocca.

– Signor Viviani, forse lei non si rende conto che disponendo il sequestro di quella lettera io ho di fatto automaticamente riaperto l'indagine. Oggi pomeriggio sono atteso a colloquio in magistratura, dal dottor Bonifacio, per riferirgli di eventuali sviluppi.

Fusco distolse lo sguardo da Massimo, finalmente, e lo puntò verso l'incolpevole manometro.

– E a me toccherà dirgli che invece dello sviluppo c'è stata un'involuzione, spiegargli che la lettera è stata mandata da un barista in vena di scherzi e che tutte le mie convinzioni sul fatto che quel caso fosse stato chiuso in modo affrettato sono, appunto, mie intime convinzioni. E nient'altro.

Breve silenzio, dopo il quale Fusco si voltò di nuovo verso Massimo.

– In breve, la situazione è questa. Lei verrà incriminato, io non ci posso fare niente e se anche potessi le garantisco che non muoverei un dito. E io ci faccio la figura del visionario, e la mia indagine se ne va allegramente a puttane.

Massimo aveva deciso di stare zitto, per cui fu molto sorpreso di sentirsi parlare.

– Be', questo non è detto.

– Prego?

– Intendo, se emergessero davvero nuovi sviluppi, se qualche testimone che all'epoca era stato particolarmente reticente facesse nuove dichiarazioni, allora...

Fusco guardò Massimo ancora peggio di quanto non stesse facendo prima.

– Signor Viviani, la avverto: smetta di prendermi per il culo.

– Dottor Fusco, non la sto prendendo in giro affatto. Se ha qualche minuto, le posso spiegare.

Dopo qualche minuto, Fusco stava guardando Massimo con occhi diversi. Sempre fissi sulla preda, si sarebbe detto: però la preda, evidentemente, non era più il tizio sdraiato nel letto davanti a lui.

– È un'idea. Signor Viviani, è un'idea. Era una cosa che non avevo notato, ma devo ammettere che ha ragione. Quello che mi dice non ha il minimo senso, a meno che...

– A meno che l'ipotesi che io le ho fatto non risulti esatta. Però, a questo punto devo essere sincero: non saprei come confermarla.

Fusco agitò una mano.

– A questo ci penso io. Non abbiamo più le cartelle cliniche, perché il Calonaci le bruciò prima di buttarsi di sotto, ma possiamo risalire alle date esatte con un controllo incrociato. Innanzitutto le date di ricovero degli altri pazienti. Troviamo gente ricoverata nello stesso periodo e andiamo a chiedere a loro. Poi, bisogna andare a rivedere l'autopsia. È possibile che questa cosa non sia stata notata, ma è anche possibile che lo sia. Non possiamo lasciare niente di intentato. D'altronde ormai lo dovrebbe sapere, no? Questo lavoro è fatto così. Lì c'è il pagliaio, e bisogna trovarci un ago. Senza sapere prima se l'ago c'è davvero, sennò sarebbe troppo facile. È un lavoraccio, ma tocca a noi – concluse il dott. comm., con l'aria di quello che muore dalla voglia di sporcarsi di paglia. Dopodiché, alzatosi, Fusco strinse la mano a Massimo e approfittò del fatto che quest'ultimo era sdraiato per ergersi in tutta la propria risibile statura e sentirsi più alto di qualcuno, una volta tanto.

– Bene, signor Viviani. La lascio qui a ristabilirsi, e non si preoccupi delle sue impronte digitali. Basterà che lei riconosca di essersi dimenticato di aver maneggiato la busta, e che gli altri suoi compagni di merende facciano altrettanto. Per intanto, buona giornata. Se mi servisse ancora la sua memoria, si rassegni a vedermi di nuovo qui.

Dieci

La cosa più brutta dell'essere ricoverati in Ortopedia è la noia.

In altri reparti, i problemi sono diversi: dolore, mancanza di lucidità, possibilità di decesso imminente eccetera. Ma, quando sei ricoverato in Ortopedia, solitamente la cosa peggiore è rappresentata dal fatto che ti rompi i coglioni in modo irrimediabile.

E Massimo non era un'eccezione.

Il nostro era stato messo orizzontale tre giorni prima; tre giorni che, nonostante le varie visite, erano stati piuttosto deprimenti. Un po' per i libri che aveva sottomano: Aldo, dopo averglieli promessi, si era completamente dimenticato di portargli qualche giallo o comunque qualche libro d'intrattenimento, per cui Massimo si era fatto delle nottate a dipanare la propria involontaria collezione di Massime Espressioni del Pensiero Umano. Nottate lunghe, perché quando stai tutto il giorno fermo a letto senza muovere una singola falange poi quando arriva notte il sonno non lo vedi nemmeno col satellite.

Un po' per la compagnia: Massimo aveva provato a telefonare ai suoi pochi amici fidati, che però essendo estate erano tutti in vacanza, chi con moglie e figlioli, chi tentando di trovare l'una, chi sperando di fare un po' di pratica per l'ottenimento degli altri. La mamma di Massimo era a Dubai, impegnata nell'installazione di vari aggeggi ultratecnologici per i riccastri annoiati del petrolio, e si faceva sentire solo con una o due telefonate al giorno, o meglio, a notte. Questioni di fuso orario. Quindi, le uniche visite che Massimo riceveva erano quelle di Tiziana, del nonno e degli altri suoi degni compari. Inoltre, l'altro occupante della stanza di Massimo era, per un simpatico accanirsi del destino, un altro vecchietto, tale signor Bertozzi, a cui avevano appena installato una testa del femore nuova di zecca. Il signor Bertozzi non parlava mai, tranne che per chiedere a Massimo di abbassare un po' il volume del televisore, e passava la giornata a pisolare, russando come un aeroplano.

Un po' per il posto: perché, bello e lindo quanto ti pare, ma sei comunque in ospedale.

Non c'è aria fresca. Non c'è la PlayStation. Ci sarebbe la sala fumatori, ma per raggiungerla bisognerebbe essere in grado di alzarsi, e quindi Massimo non fumava da tre giorni.

Per cui, quando Massimo sentì che qualcuno aveva bussato alla porta, ebbe un autentico fremito di gioia.

Visite. Visite. Visite. C'è qualcuno per me.

Resistendo alla tentazione di mettersi a ballare come Snoopy quando arriva la cena, Massimo si dette un contegno e si limitò ad essere cortese.

– Prego, prego. C'è posto in abbondanza.

«Abbondanza» era la parola giusta: la porta si aprì, ed entrò Tiziana in tutto il suo benessere. E Massimo, seppur contento di vedere qualcuno, al momento rimase un filino deluso. Strano a dirsi, per un attimo aveva sperato che fosse Fusco. Riprenditi, si disse. Se cominci a preferire Fusco a Tiziana vuol dire che ti hanno messo nel reparto sbagliato.

– Buongiorno al mio datore di stipendio. Come va? – disse Tiziana porgendogli la «Gazzetta» ancora perfettamente piegata.

Bella come sempre. Meno appariscente, forse: mollettine da brava bambina, camicia a maniche lunghe e rigorosamente abbottonata, jeans lunghi nonostante il caldo. Forse la volta scorsa era passata da Cardiologia e avevano dovuto diffidarla dal rimettersi la maglia con l'ovale ritagliato.

– Meglio, grazie – rispose Massimo schioccando sul comodino con allegra malagrazia *Trentasei stratagemmi di guerra*, ovvero il condensato di sapienza con cui gli era toccato cominciare la mattinata, e appoggiandosi la rosea sulle ginocchia. – Adesso, molto meglio. Lì dentro cosa c'è?

– Qui c'è la razione K per il soldato in missione – disse Tiziana tirando fuori dalla borsa un Tupperware di quelli da mettere direttamente nel microonde. – Piano superiore, salmone in salsa satè. Piano inferiore, riso al curry.

E questo era un altro sgabello sotto al morale di Massimo, che adorava il cibo indonesiano. Ebbe una rapida visione di Tavolone, chino sul tagliere, che tritava, sminuzzava e rosolava agli ordini di Aldo, e lo ringraziò mentalmente.

– Un pensiero di Aldo – confermò Tiziana.

– Una punta di stella ad Aldo, allora. Come va al gerontocomio?

– Al bar, bene. Più che bene. Aldo ha messo Tavolone a fare l'aperitivo. Uno spettacolo, guarda. Ieri tra le sette e le otto c'era la ressa. C'è un po' da intendersi sul sottofondo musicale, magari, quello sì. Per mettere roba di musicisti ancora vivi c'è da sudare parecchio. L'altro giorno entro nel bar e sento allo stereo dei tizi che ululano in coro, senza strumenti sotto. Gli ho chiesto cosa fosse, e mi ha detto testualmente: «Mia cara, un po' di rispetto per il quinto libro dei Madrigali di Monteverdi». E giù dieci minuti di lezione. La prima pratica, la seconda pratica, l'invenzione della canzone come oggi la conosciamo... Tutto interessantissimo, per carità – Tiziana spalancò gli occhi – ma se uno entrava in quel momento si guardava intorno, chiedeva scusa e usciva.

– E te cos'hai fatto?

– Io? Io gliel'ho detto.

– E lui?

– E lui ha riso, e ha detto che in effetti avevo ragione. Però mica l'ha tolto. Ci siamo fatti un'ora e mezzo con Monteverdi. Poi meno male che sono arrivati gli altri. Lo hanno insultato, lui ha nicchiato un po' e poi ha spento, grazie al cielo.

Massimo approvò, gli occhi già puntati sulla carta rosa, promettente nuove informazioni sulle amichevoli estive.

C'era un tempo, ormai lontano, in cui la «Gazzetta» di luglio e agosto considerava il calcio solo per cortesia, nelle pagine centrali, contrassegnate da un emblema in alto con un pallone sotto l'ombrellone e la scritta «Calcio d'estate». Il resto del giornale era atletica, nuoto, ciclismo, pugilato. E calciomercato, certo, ma solo per casi clamorosi. Oggi, invece, il calcio monopolizza: a partire dalle prime pagine su ipotesi non confermate di possibili trasferimenti di mercenari strapagati da un club a un altro. Massimo, in linea di massima, non approvava: ma oggi pur di leggere un po' di «Gazzetta» va bene tutto.

Tiziana, consapevole dei bisogni primari di Massimo, e temendo di poter disturbare il decollo del signor Bertozzi, si alzò.

– Bene. Senti, Massimo, io torno al bar dai giovanottini.

– Salutameli tanto. Come stanno?

– Piena forma. Fra l'altro, stamani vedrai che ti vengono a trovare.

Che culo. Va be', meglio di nulla...

– To', godete.

Nel silenzio più assoluto, il tre di fiori calò improvviso sul copriletto, sbattuto più che posato da una mano adunca.

– Senti, Gino, tanto s'è capito che sei te – disse il Del Tacca sbuffando, nonostante in realtà la maggior parte della fatica toccasse alla povera seggiolina ospedaliera in metallo e plexiglas. – Te Massimo 'un gli da' nulla, mi raccomando.

– Tranquillo, Pilade. Tuttalpiù, ci metto un bel fermino. Così, chi deve parlare parla – disse Massimo sorridendo, mentre tirava fuori dal ventaglio un quattro di denari. E, con l'umore che aveva al momento, anche quella carta brutta e bisunta gli sembrò effettivamente un bell'oggetto.

Basta poco, a volte. Il gesto giusto al momento giusto, semplicemente, senza fare annunci o promesse di nessun genere. Così la cosa ti sorprende, e ha più valore.

I quattro vecchietti erano entrati nella stanza un'oretta prima, in ordine sparso, ognuno con una seggiola sotto braccio, dando solo un'occhiata per accertarsi, probabilmente, dell'assenza del dottor Berton. Quindi, senza dire una parola, avevano messo le seggiole intorno al letto e steso un lenzuolo verde sulla parte del materasso priva di Massimo. Una mescolata al mazzo, e via. Briscola in cinque: cinque giocatori, otto carte in mano e una faccia di culo a testa, il resto viene da sé.

Già mentre prendeva le carte in mano, Massimo aveva ritrovato il sorriso.

– Ardo, abbi pazienza, ma mi tocca veni' fòri – disse Ampelio, mentre tirava fuori dal ventaglio la regina di denari: la carta incriminata, quella che designa il compagno del mazziere.

– Via, giù, a questo punto verrò fuori anch'io – disse Pilade allegramente, posando sul copriletto un'altra carta di denari: l'asso, nella fattispecie.

– È un ber discorzo – disse Ampelio mentre Gino aggiungeva con entusiasmo al mucchietto un bel re di fiori. – Se l'aveva fatto anche tu' pa', ber mi' Aldo, ora ar mondo c'era un bischero di meno.

– Eh... – disse Aldo con signorilità. – Mi sa che ho sbagliato a chiamare carta, sì. Mi dispiace.

– Anche a me. Ci s'aveva tre, re, regina e gobbo, e si va a perde' perché a settant'anni sonàti 'un hai ancora a capi' che a briscola vale anche l'asso. Se l'imbecilli volassero bisognerebbe datti da mangiare colla fionda, bisognerebbe.

– Abbassa la voce, nonno, per cortesia. C'è gente che dorme.

– Chìe, luilì? Meno male che russa, sennò l'avevano già portato via a piedi avanti. Badalì in che forma, poveromo, pare un fantino a dieta.

– È permesso?

E questa era una voce troppo educata per appartenere a uno qualsiasi dei quattro mangiatori di mele cotte. Infatti, nel vano della porta si era affacciato un elemento familiare, che Massimo riconobbe, più che dalla voce, dal momento di torsione del vestito. L'ingegner Costanzo, in nervi e ossa. E non da solo.

Di fianco a lui, tailleur giacca e pantalone costoso ma di dubbio gusto, occhi attenti e labbra strette, stava una cinquantenne tracagnotta, dal profilo vagamente pappagallesco. Da quanto Massimo si ricordava, Kinzica Carratori. Da quanto vedeva, il fatto che il tailleur avesse i pantaloni non era un caso.

– Disturbo? – chiese ancora, a voce appena appena un filino più decisa, l'ingegner Costanzo.

– A esse' sinceri, si stava gioàndo...

– Nonno, per favore – disse Massimo con educazione insolita ed anche un po' ipocrita, visto che in effetti l'apparizione dell'ingegnere lo disturbava non poco. – Cercava me, immagino.

– Ecco, sì, effettivamente sì – disse il nervosetto, guardandosi intorno come se sperasse che i quattro vecchietti si dissolvessero istantaneamente. Poiché però l'evento tardava a verificarsi, dopo qualche secondo si decise, e azzardò:

– Avrei una richiesta da farle, se è possibile.

– Me ne rallegro. Disgraziatamente, in questo momento non posso servirla. Se volesse un caffè, temo che rischierebbe di arrivarle un po' freddo.

– Ma no, cosa dice. Avanti, lo sa benissimo di cosa voglio...

– Me lo immagino bene. Lei mi vorrebbe chiedere di impedire a mio nonno e ai suoi degni compari di continuare a fare domande sulla morte di suo suocero in qualche modo, spero non a pedate perché al momento non ne sarei in grado. Ho ragione o sono nel giusto?

– Ma andiamo, via, signor Viviani. Vi sembra possibile? Per voi è tutto un gioco, lo capisco, ma noi ci abbiamo sofferto come cani per via di questa storia. E ora ci tocca sentire...

– E ora ci tocca continuare a sentire spropositi sulla morte del mio povero babbo – disse la pappagallessa, consapevole del fatto che la fanteria aveva esaurito il proprio compito e ora toccava ai calibri pesanti. – E non solo sentirli, ma anche leggerli sui giornali. Discorsi infamanti, indegni. Ci tocca sentire che il mio

babbo sarebbe stato avvelenato. Discorsi infamanti, avete capito? In-fa-man-ti. Io...

– Mi scusi – intervenne Aldo – ma se suo padre fosse stato avvelenato, perché sarebbe infamante?

La donna, che era rimasta a bocca aperta, guardò Aldo ed arrossì fino al becco.

– A quanto ne so, non c'è colpa nel venire avvele-
nati – continuò Aldo, dando alla sua voce baritonale
un tono severo talmente azzeccato che sembrava vero. –
A meno che qualcuno della famiglia non abbia qualcosa da nascondere.

Pesante.

– Ma come si permette? Qui si sta parlando di mio padre! Sono due settimane che state a sproloquiare sulla morte di mio padre! Io non ho più intenzione, vi avverto... –
la pappagalla prese fiato. – Non ho più intenzione di sentire il nome della mia famiglia esposto alla gogna, è chiaro? Io non ho più intenzione di sopportare tutte le chiacchiere che vengono fuori dal vostro bar di merda!

Ci fu un attimo di silenzio. Poi, nel gelo generale,
Ampelio parlò con tono tranquillo.

– Certo la gente è strana – disse Ampelio, rivolgen-
dosi in generale al parlamento. – Ora che ar barre si dice che il povero Carratori forze l'hanno avvelenato, la
famiglia s'offende. Penza' che fino a quarche tempo fa
ne' barre si diceva che il Carratori era un ladro, e della
famiglia a lamentassi 'un è mai venuto nessuno.

Una mezz'ora dopo, l'ingegner Costanzo sedeva composto di fronte a Massimo.

Dopo che la signora si era messa a urlare come un'invasata, infatti, erano successe due cose:

1) Il dottor Berton, che era montato da poco, aveva sentito dalla camera 6 una pazza urlare che i vecchi andrebbero ammazzati tutti da piccini, ed era accorso a vedere cosa stesse succedendo;

2) il signor Bertozzi, disturbato in fase di atterraggio dagli urli della pappagalla, si era svegliato di soprassalto e, spaventato, si era attaccato al campanello per chiamare gli steward, cioè, gli infermieri.

Il dottore e i paradottori, congiuntamente, avevano riportato la calma: il dottor Berton, che a Massimo risultava sempre più simpatico, aveva fatto un culo epico alla pappagalla e l'aveva fatta cacciare a viva forza, minacciando di chiamare i carabinieri se la trovava ancora nel reparto. Quindi, aveva chiesto cosa fosse successo e si era fatto spiegare la situazione, dopodiché aveva chiesto a Massimo:

– Lei cosa vuol fare?

– Io vorrei chiarire la faccenda una volta per tutte.

– Bene. Allora, visto che avete cose importanti da dirvi, adesso vi chiarite. Lei – disse diretto all'ingegner Costanzo – si siede e con calma, mi raccomando con calma, dice al mio paziente quello che ha da dire. Poi, quando ha finito, prende e si toglie dai coglioni.

– Allora... – esordì l'ingegner Costanzo, togliendosi l'ennesimo pelucco inesistente dai pantaloni. Esordio convinto, non c'è che dire. – Quello che in buona sostanza le volevo dire...

– Quello che in buona sostanza mi voleva dire è, molto probabilmente, un monte di vaccate – interruppe Massimo, che a causa della mancata rissa e soprattutto dell'interruzione della partita aveva brutalmente perso il buonumore.

– Prego?

– Sa come si dice, vero? Excusatio non petita, accusatio manifesta. È già la seconda volta che lei, stavolta con sua moglie, viene a trovarmi per dirmi che il suo povero suocero è morto di malattia. E la prima volta è venuto a trovarmi quando ancora la cosa era a livello di chiacchiere da bar. Se mi vuole prendere per scemo, ha sbagliato bersaglio.

Breve pausa, sorsino di tè freddo gentilmente recapitato da Aldo. L'ingegnere tentò di dire qualcosa, ma Massimo lo prevenne:

– A me di questa storia non me ne fregava nulla, e ho tentato di darci un taglio. Purtroppo per me, o almeno così pensavo, ho sortito l'effetto opposto e ho fatto partire una indagine ufficiale. Prima ero convinto che fosse tutta una farsa nata nel cervello di mio nonno e degli altri tre mangiasemolino a ufo. Adesso sono convinto che mio nonno e gli altri ci abbiano beccato. Per cui, se lei vuole continuare con la favoletta del pover'uomo morto di un tumore fulminante, è padronissimo di andarsene e, detto fra noi, io farei così. Se invece vuole restare e spiegarmi il suo comportamento, gradirei molto se me ne dicesse i motivi autentici, non quelli per le allodole.

Massimo non ritenne necessario spiegare al nervosetto, per ovvi motivi, che la ragione per cui era così sicuro era data dal fatto che sapeva, grazie a Fusco, quali erano stati i risultati dell'autopsia sul cadavere del povero Carratori.

L'ingegnere deglutì e si guardò intorno, posando infine lo sguardo prima sul signor Bertozzi e poi su Massimo.

– Vede, è una cosa delicata.

– Ne sono certo. Però, se lo faccia dire, se quello che le interessa è la discrezione ha sbagliato metodo fin dall'inizio. Non si preoccupi del signor Bertozzi, ha un monte di ore di veglia estremamente limitato e con il parapiglia di prima credo lo abbia esaurito, per oggi.

Il nervosetto lanciò un altro sguardo al signor Bertozzi, che in effetti era di nuovo sulla pista di russaggio, dopodiché cominciò a parlare a voce bassa, lentamente.

– Io mica lo sapevo che sposando quell'affare mi sarei cacciato in un nido di vipere, perché è questa la situazione in cui mi sono trovato. Un nido di vipere. Tutti, dal primo all'ultimo. Babbo, figlio e figlie, e cognati di corredo. L'unico umano era proprio Davide Calonaci. E infatti è stato quello che non ha retto alla pressione.

Il nervosetto si passò la mano sulla testa, che si era imperlata di goccioline di sudore nella vasta zona priva di capelli.

– Quando mio suocero venne ricoverato qui, Davide disse che come paziente era robusto e ancora in forze, ma che il tumore si stava ripresentando e stavolta in forma aggressiva, e secondo lui non avrebbe risposto alla terapia ormonale. Per cui, intendeva provare

123

con un nuovo protocollo di chemioterapia. Questo protocollo era piuttosto pesante. Mi ricordo che prevedeva l'uso simultaneo di due farmaci, il carboplatino e lo stronzio 89. Uno radioattivo, l'altro no. Che dire? Mio suocero si fidava completamente di Davide come dottore, come tutti noi del resto. Bene, quando entrò in ospedale mio suocero era in forze. Apparentemente, a parte qualche doloretto, stava bene. Dopo una settimana, incominciarono i primi problemi. E si aggravarono, giorno dopo giorno. In modo continuo. Dopo tre settimane, morì. E successe qualcosa. Che cosa, di preciso, non lo so: io, in quella settimana, ero a Porto Marghera per questioni di lavoro. Quando tornai, trovai una situazione sfasciata.

L'ingegnere si asciugò nuovamente la pelata.

– Nessuno parlava più con nessuno. Su di un'unica cosa erano tutti d'accordo: la responsabilità della morte di mio suocero era del dottor Calonaci. Venne fatta un'autopsia, appunto, che confermò la cosa. Mio suocero non era morto a causa del tumore; il tumore era assolutamente sotto controllo, e non c'era traccia di metastasi ossee. Mio suocero era morto perché era stato curato in modo troppo aggressivo. Aveva gli organi interni sfasciati, il fegato dissolto. E contemporaneamente anche la famiglia si era disgregata. Lagia troncò il fidanzamento con Calonaci, e poco dopo lui si suicidò. E i figli e le figlie smisero praticamente di parlarsi. Non che prima la situazione fosse rosea, ma dopo... Guardi, se c'è una scelta che rimpiango in vita mia...

E quale fosse la scelta che il tutt'altro che tranquillo ingegnere rimpiangeva, Massimo non lo seppe mai con certezza. Non perché l'ingegnere non lo disse; ma perché, a questo punto del discorso, Massimo aveva smesso di ascoltare già da un pezzo, e sotto la facciata seria e compunta si era messo letteralmente a gongolare.

Avevo ragione. Avevo ragione. Babbo Massimo ci ha beccato di nuovo. A letto con un ginocchio sfasciato, senza fumare, con un compagno di stanza che russa come un compressore, e intanto il cervello mi viaggia ancora alla grande. Quando funziono così, mi voglio bene da solo.

Undici

– ... sette, otto, nove e dieci. Ecco fatto – disse il fisioterapista, lasciando la tibia di Massimo. – Con la flessione passiva abbiamo finito. Allora, come si sente?

– Ora meglio.

Sì, ora che hai finito mi sento parecchio meglio. Quando mi hai piegato il ginocchio la prima volta, dal dolore ho visto Manitù che palleggiava.

– Bene bene. Ora, stamani si incomincia con gli esercizi attivi, eh? Io glieli faccio vedere, e lei me li fa da solo, va bene? Ecco qua. No no, non si sposti, rimanga seduto in terra. Voglio che lei faccia questa cosa: stenda la gamba. Così. Bene. Ora, con la gamba tesa, lei faccia finta di tenere un gessetto con le dita del piede, va bene?

– Va bene.

– Ora, con il gessetto, voglio che lei mi scriva tutto l'alfabeto. Maiuscolo, e poi minuscolo. Va bene? Allora, fra cinque minuti torno, lei intanto scriva. Mi raccomando, prima maiuscolo e poi minuscolo. Oppure, scriva quello che le passa per la testa. Però, che sia una frase bella lunga. A fra poco.

Il fisioterapista si alzò e andò all'altro capo della palestra, da una signora anziana che camminava con un treppiede.

Massimo, con la lingua tra le labbra, si fece coraggio e cominciò.

La prima lettera, una I, fu abbastanza facile. La seconda, una L, anche. Poi con la terza lettera, una B, cominciò il dolore.

Massimo aveva appena finito la B per dedicarsi alla U, quando entrò il dottor Berton.

– Bene bene, la vedo alla scrittura. Dolore?

– Abbastanza – disse Massimo digrignando i denti, mentre incominciava una lenta e pesantissima D.

Il dottore annuì con partecipazione.

– Lo so, lo so. Lo deve fare.

– Così tanto? – chiese Massimo, con la gamba che vibrava nello sforzo di tracciare in aria una faticosissima E.

– Così tanto, sì. Ma ogni giorno sempre meno. Giorno dopo giorno, in modo monotòno, come dite voi matematici.

– Come lo sa? – chiese di nuovo Massimo, rinfrancato dalla relativa facilità di una doppia L.

– Ma via, non faccia il modesto... Senta, le dispiace se ci diamo del tu?

– Per nulla. Anzi.

– Allora, sei padronissimo di non crederci, ma guarda che qui dentro sei una personalità. Sei il barista matematico che scopre gli assassini. Due negli ultimi quattro anni. Mica male per un barista...

Veramente sono tre, pensò Massimo mentre cominciava la O. Del terzo lo so solo io, e mi basta.

– Barrista.

– Come?

– Barrista. Con due R –. E anche la O venne completata. Massimo posò la gamba in terra, gocciolando pere spadone di sudore. La seconda parte della frase, ovvero il trilemma «DI TUA MADRE», poteva aspettare.

– Va bene, come preferisci. Qui in Toscana o le togliete o le raddoppiate, un giorno capirò il perché. Da noi in Veneto togliamo e basta. Abbiamo paura di sprecare il fiato. Comunque, di barristi in grado di svelare l'identità di due assassini ne conosco pochi.

– Figuriamoci tre, allora – disse Massimo, che aveva ricominciato a scrivere nell'aria.

– Tre?

Il dottor Berton guardò Massimo con ben più di una punta di curiosità.

– Ti riferisci a...

– Esattamente. Finisco di insultare il fisioterapista – disse Massimo gocciolante – e te lo spiego.

Seduto su di una panchina, Massimo in stampella e ginocchiera si godeva la prima sigaretta dall'inizio della degenza, riacquartierandosi con la piacevole sensazione del ritorno alla normalità dopo qualche giorno senza avvelenarsi, col fumo che ti invade i polmoni e ti stordisce lievemente. Accanto a lui, il dottor Berton annuiva.

– Sì, mi ricordo esattamente quanto ti ho detto. Era il sedici di marzo, ne sono sicuro. È il giorno del mio compleanno. Ora come ora non ho più tanta voglia di festeggiarli, ma ventuno anni fa era un'altra faccenda.

– Ecco. Appunto. Quindi, a una settimana dall'inizio della chemioterapia, il Carratori fa quello show che mi dicevi, e passa una bella giornata con la parentela schierata e la nuora incinta.

– Ho capito –. Il dottor Berton aprì le mani. – Non ci vedo niente di strano.

– Sei sicuro? Ti sembra normale che a quest'uomo, nel bel mezzo di una chemioterapia, lo stesso dottore che gli ha sparacchiato in vena della roba radioattiva gli faccia passare tranquillamente mezza giornata con la nuora incinta, con tanto di bacio al pancione? Col rischio che il futuro nipote magari venga fuori con un braccio in più, o con un fegato in meno? A meno che il dottore in questione di cognome non faccia Mengele, abbi pazienza, mi sembra un po' difficile da digerire.

Il dottor Berton guardò un attimo Massimo, poi cominciò a scuotere la testa, come chi vede le proprie speranze ridiventare illusioni.

– Ho capito, Massimo. Ma credo che ci sia un grosso equivoco. Che io sappia, e credo di sapere bene, per la terapia del tumore alla prostata non si usano né si usavano farmaci radioattivi.

– Sai bene, in generale. Ma sai male nel particolare, perché il tuo amico aveva inserito il futuro suocero in un protocollo che prevedeva l'uso combinato di due farmaci. E uno di questi era lo stronzio 89. Di solito quando un elemento chimico è specificato come isotopo quell'isotopo è radioattivo.

Il dottore guardò Massimo di nuovo.

– Scusa, ma ora te lo chiedo io: ne sei sicuro? Come fai a saperlo?

– Mi è stato confermato stamani mattina – disse Massimo con aria grave e consapevole. – Dall'ingegner Costanzo. Il marito della pazza urlatrice.

– Ah, quelli... – e il dottore fece un rumore indescrivibile con la bocca, che significava chiaramente che gli era già noto da tempo come i parenti del buon Ranieri Carratori fossero delle persone agghiaccianti. – E quindi?

– E quindi, qui qualcuno ha mentito. E ci sono due possibilità. Se ha mentito l'ingegner Costanzo, e al momento non ne vedo il motivo, ha voluto nascondere qualcosa. Se ha mentito il dottor Calonaci, vuol dire che aveva i suoi buoni motivi per far credere a tutto il mondo che il suocero veniva curato per un malaccio, mentre invece non veniva curato affatto.

Il dottore rimase in silenzio. E ci rimase parecchio.

Mentre il dottore pensava, Massimo incominciò a rendersi conto dell'incredibile colpo di culo che aveva avuto.

Massimo, infatti, come molti di noi, aveva solo un'infarinatura sottile e poco omogenea di medicina e non si era mai interessato in particolar modo alla terapia farmacologica dei tumori, ritenendo che di motivi validi per toccarsi le palle ce ne fossero già in abbondanza nella propria vita di tutti i giorni. Dato che le uniche due persone che conosceva e che avevano avuto bisogno di una chemio erano state curate con medicinali radioattivi, Massimo era convinto che tutti i chemioterapici fossero radioattivi. Per questo, quando aveva sentito l'episodio in cui il Carratori dava i bacini al futuro pancione della nuora, si era insospettito. E Fusco, per sua fortuna, gli era venuto dietro.

Poi, il giorno dopo, il nervosissimo ingegner Costanzo gli aveva confermato quello che Massimo aveva azzardatamente dato per scontato.

E adesso il Berton gli diceva che usare roba radioattiva per la malattia in questione era un caso più unico che raro.

Questo è culo, Massimo. Però te lo sei meritato, diciamocelo.

D'estate, i programmi televisivi sono quello che sono. Specialmente nel pomeriggio, quando la gente in grado di intendere e di deambulare non è in casa, o se è in casa ha altro da fare. Per cui, tocca accontentarsi di quello che c'è.

Dopo la chiacchierata, il dottore era andato via con l'espressione di chi è gravido di pensieri dolorosi e inestricabili; la faccia che avrebbe avuto Hegel un attimo dopo che gli avessero rubato l'auto. E Massimo era tornato nel proprio lettino, col ginocchio in fiamme e un pomeriggio da passare in solitudine. Asciugata la «Gazzetta» fino all'osso, Massimo aveva rivolto lo sguardo al proprio comodino. Aveva soppesato con poca convinzione alcuni mattonazzi, e quindi aveva optato per la televisione.

Per un'oretta, si era salvato coi mondiali di nuoto. Lo sport in televisione, a Massimo, andava sempre bene, qualunque fosse. A livello spettacolare, il massimo erano la

131

ginnastica artistica, i tuffi e il tennistavolo: gente che faceva cose, come cadere in piedi dopo tripli salti mortali o prendere a schiaffi una pallina grossa come una prugna che viaggia a centosessanta all'ora, che gli esseri umani normali non erano in grado nemmeno di pensare.

A livello di soddisfazione personale, il top era rappresentato dai grandi tapponi di montagna del Giro o del Tour: un divano, una birra ghiacciata, un panino fragrante e ben imbottito con cui rifocillarsi assistendo allo spettacolo di un nutrito gruppo di tizi che si facevano un culo epico arrampicandosi in bicicletta alle tre di pomeriggio lungo salite ripide ma assolate, sudando come mufloni nel caldo impietoso di luglio.

Finito il collegamento con il nuoto, non restava un granché; per cui, Massimo si mise a fare zapping, fino a finire su uno dei programmi preferiti dei vecchietti, ovvero il cartomante Ofelio, un improbabile tanghero con un parruccone a cofana, svariati ordini di medaglioni e medagliette al collo, le unghie laccate e le labbra dipinte che vantava contatti con vari personaggi al di là dell'Acheronte, da Nefertiti a Freddie Mercury.

Massimo venne raggiunto in stanza dal dottor Berton proprio mentre ascoltava Ofelio che rispondeva alla telefonata di una ascoltatrice che parlava in un italiano incomprensibile, con uno spiccato accento del centrosud, reso ancora più distorto dal doppio effetto telefono-televisione, per cui le uniche parole comprensibili erano quelle del cartomante.

– No, allora, vediamo se ho capito, eh, cara. Te mi chiami perché dai cessi di casa tua viene un puzzo tremendo? Ma scusa se te lo dico, sai cara, ma di solito 'un è che dai cessi venga fòri l'aria di montagna, sai? Eh.

Breve sproloquio.

– Ho capito, un puzzo infernale. Mai sentito. Roba da arricciare i vetri, ho capito. Ma, abbi pazienza, ma io sono un mago. Qui ci vole la Spurgomerd, mica il cartomante... Ah. E sono venuti quelli della succhiona? E cosa t'hanno detto?

Sproloquio medio.

– Ah, che 'un c'era nulla. Niente di intasato, niente di niente. E io allora cosa dovrei fa'?

Sproloquio lunghetto.

– Ma nemmeno per idea, cara. Ma no, non funziona così. No bella, il malocchio si dà a un essere vivente. A un omo, a una donna, anche a un cignale se proprio ci tieni, ma io di malocchi al cesso non n'ho mai sentito parla'. Ti dìo di no, ti dìo. Io se voi vengo anche a casa tua, ti faccio una bella benedizione e tutto quanto, ma ti rubo i vaìni e basta, hai capito? Io qui 'un ci posso fare proprio nulla, guarda, te lo dìo dar core.

Tentativo di sproloquio.

– Cosa? E io cosa ne dovrei sape'? Sì, sì, ecco. Grazie. Sì, bella, ciao, eh? Ooooh, che patema. Io la gente che telefona a cazzo di cane proprio 'un la posso pati'. Ascortatori, io ve lo dìo sempre: io sono un cartomante. Car-to-man-te! Punto. Io vi dìo come stanno le 'ose, e basta! Te mi chiedi se ciai le 'orna, e io ti dìo che ciai le 'orna! Poi i problemi ve li dovete risorve' da soli, avete capito? Io come cartomante sono un diagnosta, vale a di' che io ti dìo che problema ciai. Poi se aspetti che te lo dìa io come va risolto sei der gatto. È come cerca' di curassi un malaccio con la macchina per fare le lastre. È inutile telefona' ar cartomante se la televisione ti fa le righe, o se ti puzzano i piedi. Te lo deve di' 'r cartomante che ti devi lava'? Allora, com'è dura la gente alle vorte...

Il dottore guardò Massimo, senza capire.

Massimo, infatti, era viola dalle risate.

– Incredibile, a volte, cosa riesce a guardare la gente, vero?

Fra le lacrime, Massimo fece segno di no. Dopo qualche secondo, fu in grado di parlare.

– No (singhiozzo), il fatto è che io quella che era al telefono la conosco.

– Quella che ha il malocchio al cesso?

Il dottore sembrava incredulo. Massimo, che stava tornando operativo, ritenne doveroso spiegare.

– Io abito in una villetta duplex qui vicino, in via degli Oleandri. Una villetta strana, il piano di sotto è mio e quello di sopra è di questa tizia che hai appena sentito, anche se probabilmente non compreso, visto che parla in sannita stretto. E questa tizia frigge dalla mattina alla sera. Letteralmente dalla mattina alla...

– Non mi dire che abiti al numero diciotto.

Il dottore e Massimo si guardarono in modo diverso.

È cosa nota da tempo che il presupposto migliore per gettare le fondamenta di una solida amicizia è avere patito identiche sofferenze: e, tra queste, la più efficace è il nemico comune. Quando due persone si trovano a condividere gli stessi sentimenti per una data persona, e quella persona rimane loro sui coglioni, il più è fatto: le due persone si riconoscono come simili grazie alle avverse condizioni esterne, e i due non tarderanno a trovare altri punti di accordo.

– Non ci credo. Tu stavi a casa mia. Eri il precedente proprietario di casa mia.

– Eh sì. Non proprio il precedente. Io l'ho venduta a Giannetti. E Giannetti, presumibilmente, l'ha venduta a te.

– Sì, certo. Giannetti. E quindi anche tu sei vissuto immerso nel tanfo di rifritto del Gorgonoide. Per quanto tempo?

– Cinque anni. Poi ho conosciuto Emanuele, il mio compagno, lui voleva una casa più grande, e ci siamo trasferiti. Con dispiacere, perché ci stavo benissimo, nonostante... com'è che l'hai chiamata?

E il dottor Berton scrutò Massimo con finta indifferenza. Un Massimo, va detto, per niente colpito. Casomai, un po' dispiaciuto per le infermierine.

– Gorgonoide. Una forma di vita sottomarina. Ma mi sembrava che il nome rendesse l'idea.

– In effetti, è efficace. Io la chiamavo Maestro Yoda. Ci somiglia, vero? E ora stava telefonando a un cartomante perché qualcuno le ha dato il malocchio al cesso...

– Be', poveretta, qualche ragione ce l'ha. Non è che si è inventata tutto.

Il Berton guardò Massimo come chi sente che i suoi torti sono stati vendicati.

– Vedi – spiegò Massimo – dovendo trovarmi qui per un paio di settimane, ho pensato che non sarei stato in casa, e quindi che eventuali cattivi odori presenti in questo periodo non mi avrebbero toccato.

– Okay. E allora?

– E allora... hai presente, vero, che la tizia tiene sempre le finestre spalancate, di pomeriggio?

– Mamma mia. Hai voglia se ce l'ho presente, sembrava di stare a Istanbul. Campionato mondiale di battitura dello zerbino tutti i giorni. Due o tre volte ho pensato di darci fuoco, a quel tappeto. E quindi?

– Quindi, non potendo farlo di persona, ho istruito una persona. Aldo, non so se hai presenti i vecchietti che mi vengono a trovare, comunque è quello che sembra Giulio Cesare di Asterix. Allora, ho detto ad Aldo di comprare mezzo chilo di acciughe e di metterle in un sacchetto. Un sacchetto di quelli nuovi del supermercato, che sono biodegradabili e si sciolgono in acqua; comunque al sacchetto ho fatto fare anche qualche taglio, per sicurezza. Poi, gli ho detto di prendere la scala e il mezzo marinaio...

– Cos'è il mezzo marinaio?

– È un bastone che serve in barca, ha una specie di uncino gommato sulla punta. Nella fattispecie, serviva per agganciare il sacchetto e depositarlo nella cassetta dello sciacquone del bagno. Il bagno è vecchio stile, e la cassetta è di quelle in alto, scoperte.

Il dottore aprì la bocca, poi realizzò.

Massimo gli dette la conferma.

– Esatto. Dopo due giorni nell'acqua stagnante, le acciughe sono belle frollate e incominciano ad avere un aroma piuttosto, diciamo così, pungente. Dopo quattro, comincia l'effetto fogna. E mano a mano che tiri l'acqua, il fetore entra in circolo e si diffonde per tutti i bagni dell'impianto. Ma quando te ne accorgi e chiami qualcuno a stasarlo, questi non trovano niente, perché non c'è niente da trovare, e niente di intasato: le molecole fetenti si sono sciolte bene bene in acqua, e per eliminare l'odore bisognerebbe eliminare la sorgente. E qui sta il punto: perché, sentendo un puzzo rivoltante di carogna andata a male che viene dal cesso, nessuno va a guardare nella tazza dello sciacquone.

Il dottore guardò Massimo di nuovo, e tossì. Poi, dopo qualche secondo, tossì di nuovo. Poi si lasciò andare, e gli partì una risata grassa come quella di un bambino.

Mentre il dottore si sganasciava, Massimo concluse.

– Poi, nel giro di una settimana, i pesciacci vengono sciolti completamente e dilavati via. Ma in quella settimana, tutte le volte che entri in bagno (singhiozzo) prima vomiti, e poi, casomai...

E anche Massimo ricominciò a ridere, fino alle lacrime.

Dodici

– Allora, signor Viviani. Quello che lei mi dice sembra confermare ulteriormente che ci sia qualcosa di poco chiaro.

Con le natiche appoggiate sul davanzale, lo sguardo puntato sul signor Bertozzi che si godeva la giornata di degenza con un bel pisolino, Fusco aggiornava Massimo sugli sviluppi del caso. Un Massimo che, va detto, durante la notte non aveva dormito affatto: un po' grazie al signor Bertozzi che faceva le imitazioni (tosaerba, motosega, trattore ecc.), ma soprattutto perché aveva continuato a pensare al caso Carratori. Senza cavare un singolo ragno da un singolo buco.

– Inoltre – continuò Fusco – sono emersi degli altri elementi che hanno contribuito, contrariamente al solito, a dare a tutti questi fatti una direzione ben precisa.

E questo l'avevo capito anch'io. Sennò non saresti qui.

Fusco alzò il pollice.

– Uno, l'autopsia conferma che il Carratori è morto per avvelenamento causato da una sostanza citotossica, *ma non* radioattiva. Non c'erano tracce di sostanze radioattive nel defunto. L'autopsia cita questo fatto espressamente.

Fusco estese l'indice, formando una immaginaria pistola puntata verso il signor Bertozzi.

– Due, a partire dal presupposto che il defunto sia stato avvelenato, questo avvelenamento deve essere per forza avvenuto in situ, cioè all'interno dell'ospedale. E quindi, mi sono messo a spulciare l'archivio di tutte le persone presenti in ospedale, nel reparto di cui si parla. Medici, paramedici, pazienti, operatori di ogni tipo. Ed è venuta fuori una cosa che potrebbe anche essere una coincidenza...

Fusco guardò Massimo, che completò la frase.

– ... ma che sarebbe tanto significativa se non lo fosse. Ed è?

– Ed è, caro signor Viviani, che uno degli addetti alla refertazione, cioè una delle persone incaricate di incasellare i referti delle analisi cliniche, si chiama Graziella Carminati. Ma Carminati è il suo nome da nubile.

Fusco prese fiato, apparentemente gustandosi tutta l'importanza di quello che stava per dire.

– Perché nel 1990 Graziella Carminati era sposata con Remo Foresti.

Massimo e Fusco si guardarono.

Non è dato sapere quanto ci fosse voluto, a Fusco, per arrivare alla stessa conclusione che a Massimo apparve immediatamente tanto chiara da vedersela quasi in filmato davanti agli occhi. Però, la sequenza dei fatti, come venne immediatamente verificato, era esattamente la stessa.

– Io me la sono immaginata così – proseguì Fusco con aria consapevole. – La signora Graziella Carminati in Foresti viene a sapere, a inizio marzo circa, che il Carratori ha fatto un esame particolare, una scintigrafia ossea, perché ha il sospetto che il suo male, da cui credeva di essere guarito, stia degenerando. E questa scintigrafia ha dato esito positivo. Il che significa, in termini medici, che il Carratori è messo piuttosto male. Che cosa fa? Ovvio. Lo dice al marito. Magari per caso, non è necessario che la cosa sia intenzionale. E il marito che cosa fa? Fa due più due.

Fusco si staccò dal davanzale, ed iniziò a misurare la stanza a stretti passi.

– Sono mesi che il Foresti ha puntato su Villa del Chiostro. Ma le sue disponibilità sono limitate, ed anche chiedendo un mutuo non arriverà mai alla cifra che il Carratori vuole, e che è sostanzialmente non molto lontana dal vero valore di mercato della casa. Il che porta ad una situazione di stallo. Perché se è vero che il Foresti vuole comprare, è anche vero che il Carratori ha bisogno di vendere. All'inizio del 1990, infatti, la situazione del pover'uomo non è per niente solida, anzi. Per dire le cose come stanno: all'inizio del 1990 il Carratori è nella merda fino al collo. Lei lo sa in cosa era specializzata la ditta del defunto?

– No, non con precisione – disse Massimo in fretta, tentando di non far rallentare il Fusco e di non far partire delle digressioni inutili. – Ho sentito parlare di un piccolo sito nucleare, se non mi sbaglio.

– Infatti. Il grosso della ditta Carratori era di fatto specializzato nell'edilizia relativa all'installazione, gestione e manutenzione delle centrali nucleari. E il referendum del 1987, di fatto, abolendo la possibilità di installare nuove centrali nucleari e con essa i contributi ministeriali, gli ha dato una mazzata non di poco conto. Insomma, nel periodo di cui si parla il nostro morituro è messo male. È senza lavori, l'ultima grossa commessa è stata quella del CAMEN che ormai è in via di conclusione, ed ha bisogno di liquidi per non fallire e riuscire a far ripartire la baracca.

Massimo taceva, con le orecchie ritte come quelle di un dobermann.

– Allora, mi sono immaginato questa cosa: che il Foresti, messo sull'avviso da qualche uccellino, abbia proposto al Carratori di vendere la nuda proprietà, convinto che il venditore avesse un piede nella fossa. Data l'età del tizio, questo gli permette di ottenere la casa a circa la metà del valore di mercato. Il venditore, però, in realtà sta bene, perché il tumore è stato curato in modo efficace, e presumibilmente tirerà a campare ancora per parecchi anni e forse più. E allora, che fare?

Massimo continuava a tacere.

– In tutto questo, c'è da notare che il Carratori viene ricoverato da un medico competente, si badi bene che il medico è uno competente, per una cosa che non ha e per la quale apparentemente non viene curato, an-

141

che se in realtà la cura viene sbandierata ai quattro venti. Allora, che cosa ne debbo concludere?

Massimo, nel rispetto della tradizione del dialogo socratico, partorì:

– Che qualcuno l'ha tirato nel culo al povero Foresti.

– Esattamente. E qui ci siamo, secondo me. Qualcuno, consapevole delle proprie difficoltà economiche e coinvolgendo nel proprio maneggio un valente oncologo che guarda caso è il suo futuro genero e con il quale si trova come culo e camicia, organizza un'enorme trappola per il Foresti, facendogli credere di averne per due o tre mesi mentre in realtà scoppia di salute. Notare bene: facendo credere al Foresti che il Carratori stesso sia ignaro delle proprie condizioni o troppo fiducioso in chi lo sta curando. Perché questo mi sembra un punto focale della cosa.

E qui il Fusco ha ragione. Mentre Massimo continuava nel suo atteggiamento benedettino, Fusco approfondì:

– Affinché la cosa funzioni, è necessario che il Foresti sia convinto di due cose: primo, che il Carratori sia effettivamente messo molto male. Secondo, che ancora non lo sappia o che, più plausibilmente, non se ne renda conto. In fondo c'è gente che muore senza sapere nemmeno di avercelo, un tumore alla prostata, e il Carratori non è un medico ed è una persona estremamente spavalda. E da qui, secondo me, vengono fuori il tanto sbandierato protocollo con due farmaci e l'atteggiamento disinvolto della vittima. Lei che ne dice?

Dico che mi stupisci, caro il mio Fusco. Effettivamente, nòn fa una piega.

Fusco gettò un'altra occhiata al signor Bertozzi, che si era voltato nel letto cambiando marcia, e proseguì.

– E questo, come dicevo, mi sembra acclarato. A questo punto, signor Viviani, le chiedo: se lei venisse truffato in questo modo, e avesse una moglie che ha libero accesso in ospedale, e sapesse che uccidendo il venditore si porterebbe in avanti di circa una ventina d'anni sui lavori di ristrutturazione, lei che farebbe?

E qui Massimo non rispose. D'altronde, Fusco non sembrava averne bisogno.

Massimo era sinceramente colpito. La ricostruzione di Fusco era coerente, certo. E logica. A ha bisogno di soldi, e truffa B con l'aiuto di C. B lo scopre e uccide A. Quindi C, che è consapevole del suo ruolo nella truffa, si rende conto di aver indirettamente causato la morte di A. E quindi si uccide, contemporaneamente distruggendo quanto più possibile la documentazione relativa alle mancate cure...

– Come dice?

Sì, perché nel frattempo Massimo si era messo a mormorare, senza rendersene conto.

– Dico che torna tutto. Solo una cosa non capisco...

– E sarebbe?

– Sarebbe che non capisco perché il dottore abbia distrutto tutta la documentazione. Non ne vedo lo scopo.

– A me pare chiaro. Secondo quanto ho ricostruito, per giustificare la terapia il Calonaci ha dovuto falsificare un esame. Una scintigrafia ossea, per l'appunto. Ma questo esame è stato eseguito in un altro ospedale, e per la precisione a Firenze. Questo siamo stati in grado di ricostruirlo. Da un altro medico, di cui il Calonaci ha dovuto falsificare anche la firma. Da qui, la necessità di distruggere la documentazione. Per non far vedere che c'era stata una truffa, e salvaguardare perlomeno il nome dell'analista in questione, se non il proprio. Lei non crede?

C'è poco da dire. Effettivamente, regge. In forma il Fusco, non c'è che dire.

– Bene, signor Viviani. Adesso, se mi perdona, devo far convocare dal magistrato una coppia di sposini per sentire cosa mi sanno dire in merito alla faccenda. A questo punto, mi sento di poter dire che il suo ruolo è finito. Pensi pure a rimettersi in piedi e torni presto al suo bar. E al suo lavoro di barista.

La parola «barista», ad essere sinceri, Fusco la calcò un po' troppo. Guarda che se non c'ero io, caro il mio Bagonghi, col cavolo che riaprivi il caso. E col cavolo che lo richiudevi. Va be', non lo scopri certo a quarant'anni passati che la gratitudine non è di questa terra. No?

Mentre pensava a cosa poteva fare adesso, dopo che Fusco se ne era andato, la porta si aprì di nuovo e si affacciò il dottor Berton.

– Eccolo. Mi dicono che c'è bisogno di te in palestra, hanno bisogno di uno che gli sposti un armadio.

– Dio bono, arrivo. Un attimo che mi metto qualcosa, sono in mutande.

– Prego, prego. Anzi, già che ci sei, mentre ti rendi presentabile potresti dirmi cosa ti ha raccontato quel signore lì che è appena uscito. Così, tanto per fare due chiacchiere.

Il secondo giorno di rieducazione andò meglio. Stavolta la flessione passiva, invece che dal fisioterapista, gli venne fatta fare da una macchinetta dall'aspetto inquietante, che però si rivelò più gentile dell'umano, anche se non ci voleva molto. Poi gli esercizi statici e, infine, la scrittura, durante la quale Massimo riuscì a scrivere nell'aria il primo verso della Divina Commedia prima di crollare dal dolore.

Come giusto premio per gli sforzi fatti, al rientro in camera trovò una «Gazzetta» accuratamente ripiegata e un Tupperware a tre piani, con accanto un altro contenitore con dentro delle crespelle e un piccolo vaso di vetro con una salsa scura, che lo aspettava con sopra un bigliettino, vergato nella calligrafia d'altri tempi di Aldo:

Mi hanno detto che sei in palestra. Sarei stato curioso di vederti all'opera nel sollevamento coriandoli, ma me lo hanno impedito. Ti lascio due cosarelle qui. A domani.

Massimo sollevò il coperchio e annusò, e gli si sciolse il cuore.

Tavolone gli aveva fatto l'anatra laccata.

Strato uno, la pelle: croccante, passata in forno, sopra un letto di vermicelli di riso, da mangiare dopo averla avvolta in una crespella e guarnita con abbondante salsina.

Strato due, la ciccia: passata nel wok con una miriade di verdurine tagliate a cubetti e la salsa di soia. Da mangiare con le bacchettine, in teoria: bacchettine che Aldo aveva effettivamente lasciato, avvolte in un tovagliolo, come se non sapesse che Massimo avrebbe aggredito i cubetti direttamente a cucchiaiate.

Strato tre, il brodo: con il resto dell'anatra si fa il brodo, lo si serve a fine pasto e lo si lascia lì. Almeno, questa era la visione di Massimo, a cui già il brodino in generale non faceva tutto questo appetito, e con quel caldo poi meno che mai. Ma il resto era più che sufficiente per risollevargli l'umore.

Umore che aumentò ulteriormente di quota quando Massimo, valutando se avrebbe dovuto fare almeno il gesto di far assaggiare un po' di quella prelibatezza al signor Bertozzi, si voltò e si avvide che il letto accanto al proprio era stato rifatto, e l'armadietto era aperto e vuoto. Segno inequivocabile che il signor Bertozzi era stato dimesso, o trasferito in un altro reparto, o... No, non sembrava messo così male, dai. Comunque, il signor Bertozzi me lo hanno levato dai maroni proprio oggi che c'è il MotoGP. Adesso mi sbafo l'anatroccolo con il gran premio, poi pisolino galattico senza lavori agricoli in sottofondo e chi s'è visto s'è visto.

Massimo si era svegliato da poco dal pisolino e si stava chiedendo come affrontare il resto della giornata – libro o televisione: la «Gazzetta» letta di pomeriggio,

aveva scoperto, non dava tutta quella soddisfazione –
quando il dottor Berton entrò, in modo lievemente più
discreto del solito.

– Disturbo?

– Entra, entra, Naomi se n'è appena andata. Dimmi pure.

– Senti, Massimo, ci sarebbe una visita per te. Una
visita abbastanza... delicata, ecco.

– Delicata?

– Sì. Insomma, qui fuori c'è una persona che non conosci, ma che conosco io, e che vorrebbe parlarti di una
cosa. Una cosa piuttosto importante, e piuttosto...
piuttosto privata.

– Capisco. Tanto privata da far trasferire il signor
Bertozzi?

Il Berton sorrise chinando il capo, con soddisfazione, come se avesse avuto conferma di aver scommesso
sul cavallo giusto.

– È così. Bene, mi sembra che non ci sia bisogno di
ulteriori spiegazioni.

Non chiedermi nulla e fammi questo favore, dicevano a chiare lettere gli occhi del dottore.

Be', hai di meglio da fare?

Massimo guardò verso il comodino, come per veri-
ficare che fra i tomi di Sapienza Immortale non fosse
per caso cresciuto durante il sonno, che so, un libro di
Rex Stout. Poi guardò di nuovo il dottore.

– Ma prego, avanti. Io sono qui.

Come in risposta all'invito, dalla porta rimasta aperta entrò una ragazza piccolina.

Massimo non avrebbe potuto descriverla altrimenti.

Capelli lunghi, ma non acconciati, che scendevano un po' mesti sulle spalle. Labbra inesistenti, naso sottile, occhiali.

Ma dietro gli occhiali, Massimo lo vide quando la ragazza gli si sedette davanti, c'erano due occhi decisamente vivi. Occhi acuti, intelligenti e diffidenti, resi più piccoli e più acuti dalle lenti spesse.

L'ultima cosa da fare con me, diceva quel concentrato di sguardo, è provare a prendermi per il culo.

– Salve. Massimo.

– Buongiorno. Io sono Benedetta. Benedetta Calonaci, la sorella di Davide.

Eccoci.

– Io vi lascio soli – disse il Berton.

Tu resti qui, dissero in contemporanea gli sguardi di Massimo e della ragazza.

E che diamine, ogni tanto anch'io dovrò lanciarla un'occhiataccia a qualcuno.

– Ieri, Cesare mi ha telefonato e mi ha parlato di quello che vi siete detti in questi giorni – cominciò diretta Benedetta, senza nemmeno un preambolo. – E ha fatto bene. Cesare lo sa che io su questa storia non ci dormo la notte.

– Capisco.

– Non tanto per la morte di mio fratello – disse, mentre gli occhi guardavano un attimo da un'altra parte – quanto per il come. È da tanto tempo che io cerco il coraggio, o la pazzia, per mettermi a trovare un appiglio, una scusa, un modo qualsiasi per far riaprire le indagini. Perché io so che il Carratori è stato assassinato. E so anche da chi.

Si incomincia bene, non c'è che dire.

– La storia che le sto per raccontare – continuò Benedetta – potrebbe sembrarle assurda. Ma è vera al cento per cento. Comincia con una truffa.

E mano a mano che Benedetta Calonaci parlava, Massimo faceva sempre più fatica a trattenere il sorriso. Non si sorride a una che ti parla dell'omicidio del fratello, è ovvio: ma cavolo, avere conferma diretta delle proprie supposizioni (in realtà di quelle di Fusco, ma non esiste brevetto sulle indagini per omicidio) dava una certa soddisfazione.

Perché il racconto di Benedetta fino a quel punto coincideva, in tutto e per tutto, con quello che Fusco e Massimo si erano detti quella mattina.

– Tutte queste cose – disse Benedetta – Davide me le raccontò una sera, a cena. Era preoccupato, nervoso oltre ogni dire. E io, che non credevo alle mie orecchie. A quel punto gli chiesi perché me lo stava dicendo. E lui mi disse che Ranieri Carratori stava morendo per davvero.

Massimo taceva, mentre il dottore guardava fuori dalla finestra.

– E a questo punto, mi tirò fuori questi. E lì mi convinsi che Davide, che mio fratello, era spaventato sul serio.

Benedetta tirò fuori dalla borsa una o due cartellette, con l'intestazione di uno studio di analisi chimiche di Lucca.

– Davide mi spiegò che quelli che aveva il suocero erano tutti sintomi di un grave avvelenamento. E mi spiegò che sospettava che qualcuno stesse manipolando le cure del suocero – che fino a quel momento faceva null'altro che flebo di vitamine o di soluzione fisiologica – o che in qualche modo avesse trovato la via di avvelenarlo. Era giunto al punto di dire a Lagia, alla fidanzata, di portare lei la roba da mangiare e da bere al padre, direttamente da casa. E a un certo punto, colto da sospetto, aveva iniziato anche a farla analizzare.

Benedetta fece un cenno verso i fogli.

– Quelli che mi portò, disse, erano i risultati delle analisi. Che a tutta prima non rivelavano niente, ma questo non voleva dire. Al laboratorio Davide aveva chiesto di fare delle analisi specifiche per vedere se qualcuno stava somministrando al suocero un medicinale ben preciso, e poi altre analisi generiche. Per vedere se stavano usando roba diversa, e riuscire a capire. E questo – disse Benedetta – è il risultato. Se vuole glielo posso riassumere in due parole: niente di niente.

– Niente?

– Niente. Ho fatto vedere questi fogli ad altri due laboratori, oltre a quello a cui Davide si era rivolto. Nel cibo, nulla di nulla. Nel bere, idem. Il pover'uomo beveva solo acqua, fra l'altro. Davide era giunto anche ad assaggiarla, uno o due bicchieri. E non gli aveva fatto niente.

Benedetta abbassò la testa.

– Poi, una sera, il Carratori morì. Ed era chiaro da qualche giorno che sarebbe andata a finire così. E Davide... – Benedetta sospirò, mentre le mani si torcevano un po' più di quanto tradisse il sospiro. – Venne a cena, e non mangiò quasi. Poi uscì. Disse che doveva parlare con una persona.

Massimo e il dottore quasi non respiravano.

– Quella notte mi hanno telefonato alle quattro e mezzo, per chiedermi di andare alla clinica per un riconoscimento. Il resto lo sapete.

Benedetta si alzò.

– E questo è quanto. Questi sono i fatti. Davide aveva la certezza che qualcuno stesse avvelenando il suocero. Ed io so di chi sospettava. Meglio, credo di saperlo.

– Di qualcuno della famiglia del Carratori – disse Massimo come se dicesse una cosa ovvia.

Il dottore si voltò a guardarlo. E Benedetta annuì vigorosamente.

– Scusa – disse il dottore – credo di essermi perso qualcosa. Io credevo che tu sospettassi del Foresti.

– No. Il buon commissario Fusco sospetta del Foresti. Ha le sue convinzioni, il Fusco, e non è facile togliergliele. Io invece penso ad un'altra cosa –. Massimo cercò il pacchetto delle sigarette, ma gli venne in mente che forse in camera non si poteva. Guardò il dottor Berton, che gli rispose con uno sguardo che diceva «in questo momento puoi anche mettertene una nella narice, basta che tu parli». Prese una sigaretta e la accese.

– Se mi ricordo bene, e sono sicuro di ricordarmi bene, il rogito della vendita della casa è stato fatto il venti di marzo. Giusto?

Se lo dici te, dissero gli occhi degli altri due.

– Il ventidue di marzo il Carratori sta ancora parecchio bene, giusto? Allora, se la persona di cui non si fida suo fratello è il Foresti, perché non rimandare il suocero a casa, e tenerlo in ospedale, quando si sente male per davvero? In fondo l'ospedale è un posto dove gira parecchia gente. È un posto dove lavora la moglie del Foresti. Perché tenerlo qui e non mandarlo a casa? Non avrebbe dovuto essere più sicuro a casa?

– Perché qui c'era lui che lo poteva controllare...

Massimo annuì.

– Credo di sì. E credo che sia anche quello che pensa lei – disse Massimo.

E Massimo, mentre parlava, ebbe la soddisfazione di vedere Benedetta che, accennando un piccolo sorriso solo con gli angoli della bocca, tentennava lentamente la testa su e giù.

– Da quel poco che ho capito – disse Massimo – quella del Carratori è ed era una famiglia di serpi. Gente pronta a buttarlo nel culo al proprio angelo custode pur di guadagnare. E se c'è una cosa che ho imparato in questa quarantina d'anni in cui servo il mondo con la mia umile presenza, è che da gente del genere c'è da aspettarsi di tutto. E non ci sarebbe da stupirsi se, che so, il figlio avesse ammazzato il padre per mettersi in tasca il suo patrimonio. Mentre invece... il Foresti, che motivo avrebbe dovuto avere per avvelenare il Carratori? Prima sua moglie gli dice che ha un tumoraccio, poi glielo ospedalizzano e lo mettono sotto chemio. Una chemio pesante. E da che mondo è mondo, questo genere di cura si propone a chi è messo malino. Sbaglio?

– No, in linea di massima no – rispose il Berton. – Poi, sai, io sono un meccanico delle ossa, e di oncologia ci capisco il giusto. Ma in linea di massima direi che hai ragione. Non c'è motivo per cui il Foresti avrebbe dovuto voler avvelenare il Carratori. A meno che, però, non avesse scoperto la truffa. A questo punto, invece, sarebbe logico. Non ti sembra?

– Vero. Però secondo me ci sono maggiori probabilità che... – Massimo era incerto su come individuare il dottor Calonaci. Gli sembrava indelicato chiamarlo Davide, visto che non lo aveva mai conosciuto, e inopportuno chiamarlo per titolo e cognome davanti alla sorella e ad un suo amico – ... che il tuo amico avesse paura di qualcuno della famiglia. Primo, da un punto di vista numerico sono tre contro uno, senza contare il bravo ingegner Costanzo. Due, se lo ha tenuto in ospedale invece di mandarlo a casa, significa che non si fidava a mandarlo a casa.

– E qui non ti seguo più – disse il dottor Berton. – Io, da medico, se vedo che un mio paziente peggiora invece di migliorare, sono convinto di poterlo curare meglio qui che non a casa sua, una volta scoperto che cos'ha.

– E se hai scoperto che quello che ha migliorerebbe sicuramente portandolo a casa, visto che nessuno potrebbe avvelenarlo? Poteva farlo dimettere e dare istruzioni alla famiglia di non fare avvicinare nessuno, a partire dal Foresti. Se si fidava della famiglia, secondo me avrebbe fatto così.

– Se fosse stato certo dell'avvelenamento, sì. E delle sue cause, e delle sue modalità. In caso contrario...

– Scusate – disse Benedetta – mi sembra che vi stiate aggrovigliando un po'. Quello che dite va benissimo, ma a questo punto il nostro problema è un altro. Visto che qualcuno ci sta indagando di nuovo, invece di ragionare qui fra noi forse al momento la cosa migliore sarebbe di parlare con il dottor Fusco e di informarlo. Probabilmente lui sa meglio di noi come fare a risolvere il dilemma.

La frase venne solennizzata dal silenzio, quel silenzio particolare che si crea quando qualcuno ci fa notare che a girare in tondo non si va da nessuna parte.

Se tu conoscessi il Fusco come lo conosco io...

Dopo qualche secondo, il dottor Berton ruppe il silenzio:

– Per come la vedo io, c'è un altro problema da risolvere prima. Scusate, ma stiamo qui a dire che qualcuno ha avvelenato questo povero Carratori. Davide ne era talmente convinto che ha fatto analizzare la roba che 'sto tipo mangiava e beveva. Le flebo, mi hai detto, le controllava lui. La domanda che mi faccio è: allora, questo cristiano, come cavolo hanno fatto ad avvelenarlo?

Dodici e mezzo

– ... tre e sette dieci, e sessantuno fa settantuno. Settantuno a quarantanove. Ti torna?

Seduto al tavolino, le carte raccolte in una mano, Pilade sorrise con soddisfazione. Dalle dieci della mattina, momento in cui i quattro adepti della terza età erano entrati nella stanza di Massimo carte in mano, praticamente non aveva perso una partita.

Aldo, che stava finendo di contare le carte prese da lui, Massimo e Ampelio, annuì con fare fatalista.

– Torna, torna. Culaioli.

– De', c'è poco da esse' culaioli. Se 'un sapete gioa', 'un sapete gioa'.

Pilade, mentre si riassestava sulla seggiola, approfittò della vittoria per esporre la propria teoria.

– Ir problema è che chiacchierate troppo. Te, e anche Ampelio. State tutta la partita a rimbeccavvi, e vi scordate le 'arte. A un certo punto, c'è bisogno di chetassi e di penza' alle carte. C'è un momento per chiacchierare, e un momento per stare zitti. C'è scritto anche nella Bibbia, vero Ardo?

– Come no. Nel libro dell'Ecclesiaste. A proposito, Massimo...

– No, non ancora.

No, non l'ho letto l'Ecclesiaste. Sono già sceso a fatica dal Monte Analogo. E avrei una gran voglia di leggere una bella cazzata. Qualcosa che ti faccia serenamente passare il tempo senza farti pensare a una ricca sega. Che so, Andrea Vitali andrebbe benissimo. O un bel libretto di Gian Carlo Fusco, che mi piace tanto. Sempre che qualcuno trovi il tempo di andarmene a prendere uno. D'altronde, l'unico che può entrare in libreria senza che gli venga un attacco allergico è Aldo, che è anche il solo che in questo momento lavora. Per me. E che gli dico?

– A proposito di chiacchierare, avrei bisogno di due cose – disse Massimo prendendo la stampella e dirigendosi verso la finestra. – Per prima cosa, avrei bisogno che la smetteste di usare parole come «culaioli». Potrebbe dare fastidio a qualcuno.

– E a chìe? – chiese Ampelio, intervenendo in favore dei propri diritti. – Qui 'un c'è nessuno. T'hanno mandato via anche coso, lì, quello che sognava di lavora' in segheria.

Massimo tentò di tenersi sul vago.

– C'è tanta altra gente, nonno. Medici, infermieri...

– Te l'avevo detto io che il primario era biadesivo! – disse Pilade con un accento di trionfo, battendo una manata sul piano del tavolino. – Te l'avevo detto o no?

– Ma se quando ha visto Tiziana l'ha fatto le lastre...

– Quello 'un conta. Anche loro le guardano le donne, cosa credi? Te l'òmini 'un l'hai mai guardati?

– Io? Mammamia, Dio me ne scampi e gamberi! – Ampelio ridacchiò. – Io vedo te tutti i giorni, e vali per sei. Figurati se ciò bisogno di guarda' quell'artri òmini.

Massimo guardò in alto, invocando mentalmente un intervento da parte di Colui in cui non riusciva a credere. Poi, tirò fuori una sigaretta e se la accese.

– O quella? Ti fanno fuma' in camera?

– Esatto. Gentile concessione del signore che poc'anzi stavate prendendo in giro per una cosa della quale non ve ne dovrebbe fregare nulla. Motivo ulteriore per il quale, nonno, se ti risenti anche solo alludere alla cosa ti sego il bastone. È chiaro?

– Saluto al Duce – borbottò Ampelio.

– E quell'altra cosa? – chiese Aldo.

– Su quella non dovreste avere problemi. Quanto bene la conoscete, la famiglia del Carratori?

– De', è gente di paese.

Che significa che sappiamo vita, morte e miracoli eventuali.

– Allora, partiamo dal capostipite – disse Pilade, sforzandosi di parlare in italiano corretto per dare ufficialità alle proprie parole. – Ranieri Carratori. Il classico capofamiglia, di quelli che ti sembra strano che siano stati anche loro bambini. Ti dava l'idea di esserci sempre stato, di essere sempre stato così. Anch'io, che l'ho conosciuto, mi ricordo che a quattordici anni era più o meno come quando n'aveva quaranta. Piccino, secco, con una ghigna da faina e gli scrupoli morali di un colonnello delle SS. Se io non lo faccio a te, prima o poi te me lo fai a me. Era questo il suo motto.

– Davvero – si inserì Ampelio. – Ce ne sarebbe una e via, da racconta'.

– Uno così – continuò Pilade, senza dare il tempo ad Ampelio di partire per la tangente – deve mettere su famiglia per forza. E una bella famiglia. Si sposò giovane con la figliola del Procacci, quello dei distributori. Te la ricordi?

– No – disse Massimo, asciutto.

– Una persona timida – disse Aldo. – Una di quelle bimbe brave che quando sono piccine fanno quello che dice il babbo, e quando crescono fanno quel che dice il marito. Umile, discreta, al suo posto.

– E brutta – sottolineò Ampelio. – Brutta come una giornata senza pane.

– Ir conto in banca però 'un era brutto – ricordò Pilade, tornando suo malgrado al vernacolo. – E sai, brutta com'era, s'è sposata e ha fatto tre figlioli. La figliola der Nencini da giovane voleva anda' a Miss Italia, e ora cià quarantott'anni, è separata du' vorte e la darebbe anche all'eschimesi. E comunque, i due si sposano e fanno tre figlioli. Subito la prima femmina, Kinzica. Poi un'altra femmina, Lagia. E alla fine arriva il maschio, Jacopo, e chiudano i rubinetti. Tre bei figlioli sani, robusti, intelligenti. E tutti e tre devono studia'. Kinzica è laureata in lettere, insegna al liceo: ci mise qualche annetto a laureassi perché rimase incinta, sai, e il fidanzato andò a compra' le sigarette e ora dice viva in Australia. Son cose che capitano.

Lo so bene, disse il sorriso acido di Massimo. Io mi chiamo Viviani, come mio nonno. Mio nonno materno.

– E questo figliolo l'ha portata più o meno alla disperazione. Da bimbetto era un delinguente, e da ragazzotto s'è messo a spaccia'. Ora come ora credo sia in una quarche comunità di recupero, di queste qua in giro. E lei, sempre a sbattessi dietro a questo figliolo, l'ha un po' accusata. L'hai visto anche l'artro giorno, che è una che non batte tanto pari. S'è sposata con questo ingegner Costanzo, che è uno che lavorava nella ditta di su' padre. Un brav'omo, che s'è trovato stritolato in questa situazione. Dice bevicchi un po', ma secondo me 'un è vero. Ora ha messo su uno studio privato insieme con la seconda figliola del Carratori, Lagia, che è ingegnere anche lei. Anche lei lavorava col babbo. Una tipa solida, furba oltre che intelligente. Era lei, il maschio vero della prole. Perché quello all'anagrafe...

Pilade scosse la testa.

– Jacopo. Che cos'ha che non va, tale Jacopo?

– Si fa prima a dire quel che funziona – disse Aldo ridacchiando. – Anche lui s'è laureato, dai e dai. In medicina. A calci in culo, ma s'è laureato. Però n'ha fatte talmente tante, sia prima che dopo...

– Di che tipo?

– Mah, si dice male. È il classico figliolo intelligente, ma convinto di essere più furbo degli altri. Non è un cattivo diavolo, però dei bei danni l'ha fatti. Bucava sempre a scuola, per esempio. Da ragazzino una volta lo videro con una maglietta con una svastica, perché 'sto bimbetto giocava a fare il mezzo naziskin, e lo ristrutturarono di botte.

Aldo andò verso la finestra, prese il pacchetto di Massimo, ne tirò fuori una sigaretta e se la accese. Massimo manco se ne accorse.

– A un certo punto – continuò Aldo – gli era presa la fissa di giocare a poker, ed era entrato in un brutto giro. Lo avevano preso come si fa col pollo, sai? Una bella vincita all'inizio, tanto per convincerti che sei un ganzo e che quello è il tuo ambiente, e la dipendenza è assicurata. Qualche altra vincitina dopo per tenerlo attaccato, e in mezzo un salasso. Poi gli è passata, o meglio, gliela hanno fatta passare a sganassoni, e si è sposato. Una tipa brava, a posto; ora ha un negozio a Pisa, in centro, mi sembra di scarpe o comunque di abbigliamento. E da lì le cose son cominciate a funzionare. Soddisfatto?

– Più o meno. Un'ultima cosa: i rapporti tra fratelli, come sono?

– Come ti ha detto l'ingegnere. Non si parlano. Da quando il padre è morto...

Aldo allargò le braccia.

– Non si considerano?

– No, no. Si evitano proprio. Una volta l'anno, più o meno, Jacopo viene a cena da me. E telefona per prenotare. Lo sai qual è la prima cosa che chiede?

– Tiro a indovinare. Se anche le sorelle hanno prenotato per quella sera?

Aldo mosse lentamente il cranio candido in su e in giù. Massimo chinò la testa, e chiuse gli occhi.

E i quattro vecchietti si guardarono soddisfatti. Adesso che siamo riusciti a mettere in moto anche Massimo, il nostro s'è fatto. Ora, largo ai giovani.

160

– A proposito di ristorante – disse il Rimediotti – a me mi sa che è guasi l'ora di anda' a mangia' quarcosa.

– Eh, guasi guasi – disse Ampelio, guardando l'orologio.

– Anch'io qualcosina, tutto sommato, mangerei – disse Massimo riaprendo gli occhi, con curiosità. – Cosa mi ha preparato il ristorante oggi, Aldo?

– Ah, già – disse Aldo, andando a prendere un altro Tupperware doppio strato, col coperchio verde pastello. – Oggi fa caldo, per cui ti ci vuole il freddo. Insalata di pasta con pomodoro fresco, basilico viola ed aglio orsino. Di secondo, burrata con olive taggiasche e salsa di alici. Ti va bene?

Massimo annuì, sorridendo, mentre prendeva il contenitore.

– Mi va bene sì. Mi salvi dall'inesorabile accoppiata. Svizzera e patata lessa.

– Ovvìa, allora si va a mangia' tutti –. E Ampelio si voltò verso Pilade, con studiata indifferenza. – Te cosa ti tocca oggi a pranzo, Pilade?

– So una sega io, cosa mi tocca – riconobbe Pilade, alzandosi a fatica. – Ho visto che la Clelia ha comprato gli zucchini.

– Bene. Dimmelo, quando li ripiglia, che la Tilde cià la meglio ricetta per li zucchini.

– Ah. E come li fa? – chiese Aldo, che d'altronde è ristoratore.

– De', li chiappa e li butta via. Tanto fanno pòo càa.

Tredici

*Parole di Kohèlet figlio di Davide re in Gerusalemme.
Spreco di sprechi ha detto Kohèlet, spreco di sprechi il
tutto è spreco.*

La vita, si sa, è fatta di aspettative.

Per Massimo, quella che si prospettava era l'ultima
notte di degenza; la mattina dopo, infatti, sarebbe stato ufficialmente dimesso e sarebbe potuto tornare alla sua amata casetta e al suo amato bar.

Quindi, quella notte Massimo era felice più o meno
come un bambino.

Inoltre, quasi per principio, da quando aveva più
o meno dieci anni la sera dopo cena Massimo non pensava; spegneva il cervello e si dedicava ad attività il
più possibile passive (film, televisione, chiacchiere
con amici, puzzle ecc...) fino al momento di andare
a letto e di mettersi a leggere. Che era, da un po' di
tempo, il momento più bello della giornata. Per cui,
dopo cena il suo cervello si era quasi automaticamente spento ed aveva smesso di arroventarsi sul problema che gli aveva occupato la giornata fino a quel momento.

Ovvero: come cavolo hanno fatto ad avvelenare Ranieri Carratori?

Dopo il film (*Un pesce di nome Wanda*: già visto e rivisto, ma sempre bellino da morire, anche non contando che senza la colonna sonora del signor Bertozzi la televisione aveva tutto un altro appeal) aveva avuto anche il sedere di beccare uno special su Maradona, pieno delle prodezze in campo e fuori del più grande giocatore mai venuto al mondo, e quando aveva spento il televisore era gonfio d'intrattenimento fino alle orecchie, e decisamente soddisfatto.

Per cui, voltatosi verso il comodino, aveva deciso di non deludere Aldo e di prendere in mano l'Ecclesiaste.

Si può essere felici nella vita?

Sì, dài. A volte sì.

Perché a un Adàm che è buono al suo volto ha dato saggezza e conoscenza ed allegria. E al peccatore ha dato occupazione di raccogliere e di ammassare per dare a un buono al volto di Elohìm, anche questo è spreco e compagnia di vento.

Massimo aveva letto il libro dall'inizio alla fine, in un'oretta circa, e adesso lo aveva ripreso rileggendo i punti che lo avevano più colpito. Anche perché la traduzione di De Luca era scarna, essenziale, a volte criptica, e occorreva ragionarci un po' per essere sicuri di aver capito, e di poter così applicare i preziosi concetti del libretto per riuscire ad essere felici.

Qui, per esempio, era sicuro di aver capito. Non bisogna cercar di capire i criteri con cui il capriccioso architetto dell'universo assegna virtù, talenti e fortune; il tempo passato a chiedersi perché esista gente come Enrico Fermi, in grado di calcolare qualsiasi cosa sul retro di un pacchetto di sigarette (mentre io, che ho studiato tanto, solo per capire gli stessi concetti che lui ha elaborato devo sudare sangue), oppure perché gente come Fabrizio Corona sia ricca e (apparentemente) felice, mentre altri debbano mantenere tre figlioli lavorando in fonderia, è tempo sprecato. Non si arriverà mai ad una soluzione.

Massimo, a suo tempo, se lo era chiesto. Il nostro infatti conosceva bene la Bibbia, che aveva letto e meditato tanti, tanti anni prima, quando era bambino e da grande voleva fare il santo. Qualche lustro dopo, era arrivato ad una sua soluzione, semplice e lineare: l'architetto, semplicemente, esiste solo nella testa di quei fortunati che ci credono (o che ci sperano). Era stata una soluzione semplice da trovare, e molto più complicata da accettare. Non pensarci affatto sarebbe stato molto meglio.

Quando farai voto di un voto a Elohìm non tarderai a pagarlo, perché non c'è intento nei pazzi: ciò che farai voto, paga.

Una delle cose che a Massimo dava più fastidio, ed eccola qua. Promettere e non mantenere: come metodo, non come occasione. «Il nostro sistema politico soffre di questo sintomo. Kohèlet ci manda a dire che si tratta di pazzi», suggeriva Erri De Luca a piè di pagina. Difficile non essere d'accordo.

E tutto ciò che hanno domandato i miei occhi, non ho scartato da essi. Non ho privato il mio cuore di ogni allegria, perché il mio cuore sia allegro via da ogni mio affanno e questa è stata la mia parte via da ogni mio affanno. E mi sono volto io in tutte le mie opere che hanno fatto le mie mani e nell'affanno che mi sono affannato a fare: e ecco il tutto è spreco e compagnia di vento e non c'è avanzo sotto il sole.

Massimo sorrise, nel rileggere quelle parole. E, mentalmente, invitò Ecclesiaste a fare un giro là dove non batte il sole.

La felicità di Massimo stava, da tempo, nella felicità di chi godeva del suo lavoro.

La mamma che si fermava perché il bambino voleva il succo di frutta nel bar di Massimo, e non negli altri bar: in tutta Pineta solo nel bar di Massimo il barista prendeva l'ananas dalla cassetta di frutta in bella vista in alto, dietro il bancone, faceva un numero con il coltello tipo samurai per tagliarlo e lo frullava davanti agli occhi del pargolo.

Le persone che vivevano a Livorno e lavoravano a Pisa, e che tutte le mattine facevano una decina di chilometri in più per passare da Pineta e fare colazione da lui; ce n'era uno che una volta gli aveva detto «quando mi sveglio, la mattina, a volte la prima cosa che penso è: meno male che ora vado da Massimo e mi prendo un caffè e una sfoglia come Cristo comanda». Massimo si era commosso, e gli aveva offerto la colazione. Quella volta lì e basta, intendiamoci.

Le compagnie di sciamannati che entravano nel bar trascinando qualche neofita per fargli fare, al momento del conto, la carta più alta, e godevano dello stupore dell'amico.

No, Massimo non considerava niente di quello che faceva all'interno del suo bar come spreco, in nessun modo. Massimo, in cambio di vile moneta, elargiva benessere. Temporaneo, certo: perché, c'è qualcosa che dà un benessere perpetuo?

C'era gente che manco se ne accorgeva: la maggior parte, in effetti.

Be', cazzi loro. Non sanno che fortuna hanno, e questo diminuisce il piacere di ogni cosa.

Buoni i due più dell'uno: che c'è per loro un salario buono nel loro affanno. Perché se cadranno l'uno farà alzare il suo amico.

Stare in compagnia è meglio che stare da soli. Grazie al cazzo. Qui non è che ci vuole la Bibbia per dirtelo. Certo, è da un po' di tempo che la Bibbia mi perseguita. Sarà per via di Aldo. Ultimamente con la Bibbia ci picchia parecchio. Prima il Deuteronomio, e ora l'Ecclesiaste. Chissà da cosa vengono i nomi dei libri della Bibbia. *Deuteronomio.* Il libro del deuterio? No, non credo. Sarà qualcosa di doppio. Le due leg-

166

gi, forse, visto che mi sembra di aver capito che parla di leggi. Con cosa ce l'aveva l'altra volta? Ah, sì, con il diritto della gente di amministrare la giustizia, e quindi, implicitamente, di farsi i cazzacci altrui: da parte di Aldo, poi, che era uno talmente fissato sull'ateismo che il venticinque dicembre sosteneva di festeggiare il compleanno di Newton. È scritto nella Bibbia. Certo, a volte dipende dalla traduzione. Questa qui, per esempio, a Massimo non suonava. Due è meglio di uno, si ricordava Massimo. Due è meglio di uno. Dipende. Due cazzotti sono peggio di un cazzotto solo. A volte dipende...

Trenta secondi dopo, rosso in faccia e con il cuore che batteva a mille, Massimo si attaccò al campanello di emergenza.

L'infermiere entrò dopo un minuto abbondante di dito sul campanello, due pesche agli occhi e la faccia di chi pensa di aver sbagliato mestiere.

– Arrivo, arrivo. Però Cristo santo, ormai son giorni che cammina. In bagno ci potrebbe anche andare da solo.

– Non ho bisogno di andare in bagno. Ho bisogno del dottor Berton.

– Berton non c'è. Ora di guardia c'è il dottor Cosci. Intanto se mi dice dov'è che le fa male vedo di facci quarcosa io...

– Non mi fa male da nessuna parte. Anzi. E non voglio un ortopedico, voglio il dottor Berton. Ho bisogno di parlare con lui adesso.

L'infermiere guardò Massimo negli occhi, poi si avvicinò al letto e si sedette.

– Senta, signor Viviani, giochiamo a capissi. Gli psichiatri stanno due piani più sopra. Si dà una carmata da solo o li devo chiama'?

Ci sono persone con cui si può essere scontrosi impunemente, e persone con cui bisogna avere delle cautele. Se, per esempio, siete un barrista sulla quarantina, fuori forma e con un ginocchio sbriciolato, e la persona con cui dovete discutere è un infermiere cubiforme con il naso rotto, le orecchie a cavolfiore e un avambraccio tatuato con una testa di Lenin mozzata e grondante sangue, un pochino di prudenza non fa male.

– Guardi, non sono impazzito. Io devo assolutamente parlare il prima possibile con il dottor Berton. Come persona, non come dottore. Non è una cosa che riguarda la mia salute.

Vai, m'è capitato un altro finocchio, disse chiaramente lo sguardo dell'infermiere.

– Signor Viviani, ascolti me. Sono l'una e tre quarti. Stasera il dottor Berton non è nemmeno reperibile. Ora se vuole le do una cosina per dormire, e domani mattina il dottor Berton entra alle otto. E lei ci parla. Si fa così?

Massimo respirò.

– Senta, le do la mia parola che la cosa che devo dire al Berton è della massima urgenza. Io non ho il suo cellulare. Se avessi il cellulare e non lo chiamassi per dirgli questa cosa nel momento stesso in cui mi è venuta in mente, e glielo dicessi dopo qualche ora, Cesare mi farebbe un culo così.

E se sapesse che tu lo hai impedito, lo farebbe a te. Anche se io non mi permetterei di dirtelo direttamente, mi limito a fartelo capire.

L'infermiere guardò Massimo in silenzio per un momento. Poi si alzò.

– Aspetti.

Dopo essere uscito dalla stanza, tornò con un cellulare piccolo e indifeso appoggiato nell'incavo della manona. Dopo aver chiamato un numero, portò il telefono al cavolfiore di sinistra:

– Dottor Berton? Sono Marmugi. Mi scusi l'ora, qui c'è il signor Viviani che dice di avere bisogno di parlare con lei il prima possibile. Vòle che glielo passo?

Passi, casomai. Ma non è il caso, adesso. Dopo un attimo, l'infermiere dette il cellulare a Massimo.

– Pronto, Cesare.

– Pronto, Massimo –. Il dottore sembrava ben sveglio.

– Ascolta, credo di aver capito come è successo quello di cui parlavamo oggi. Ho bisogno del tuo aiuto perché tu me lo confermi. Quando puoi passare?

– Fra un quarto d'ora sono lì.

E buttò giù.

– Grazie – disse Massimo, restituendo il cellulare.

– Si figuri –. E il paramedico, ripreso l'oggetto, uscì dalla stanza cubico e tranquillo.

– E questo è quello che mi è venuto in mente. A questo punto entri in gioco tu. Ti chiedo: è possibile quello che ti ho appena detto? Quello di cui abbiamo appena parlato uccide? E se uccide, in quanto tempo lo fa? E, inoltre, io sono in grado di accorgermi in qualche modo che me la stanno rifilando?

Massimo, seduto sul letto, aveva appena finito di raccontare al Berton la pensata che gli era arrivata fra capo e collo mentre leggeva l'Ecclesiaste.

Il Berton era arrivato mezz'ora prima, circa, vestito con proprietà e senza un'ombra di sonno in viso. Né di sonno, né di risentimento. Se mi hai chiamato, sembrava dire la faccia, vuol dire che è importante, perciò hai fatto bene. Quindi, accomodatosi seduto sull'altro letto, una gamba stesa e l'altra flessa, era stato ad ascoltare senza fare domande, come da richiesta di Massimo.

Dopo che Massimo ebbe finito, rimase per qualche attimo in silenzio, guardandosi il ginocchio piegato.

Poi, girandosi verso Massimo, parlò.

– Non lo so.

– Andiamo bene.

– Massimo, te l'ho detto. Io sono un conciaossa. L'unica cosa che posso fare è guardare sull'Harrison. Se non trovo nulla, guardo su PubMed.

Massimo era piuttosto deluso.

– Cioè, una cosa del genere non l'hai mai sentita?

– Una cosa del genere non l'ho mai sentita. Ma non vuol dire. Io non sono un tossicologo, e devi ammettere che la roba di cui parli... be', non è esattamente una cosa che compri al supermercato.

– Niente affatto. Anzi, credo che possederla sia illegale.

– Ecco, appunto. Sai, uno conosce gli avvelenamenti più comuni. Le robe esotiche le sanno gli specialisti. Io – disse il Berton alzandosi, anche lui con l'aria piuttosto delusa – non l'ho mai sentita. Posso dirti solo questo. Comunque, per prima cosa, vado di là a prendere l'Harrison. Poi guardo su PubMed. Dopodiché...

Dopodiché me ne torno a dormire, e chi s'è visto s'è visto.

Il Berton uscì, e Massimo rimase solo con i propri pensieri.

Avrei dovuto andare con lui? No, meglio di no. Certe cose si fanno meglio con la calma, e da soli. Io lo innervosirei e basta. Carico come sono, farei venire un attacco di panico al Dalai Lama.

E Massimo rimase lì, per alcuni minuti, ripassando mentalmente quello che aveva detto al dottore.

Se aveva torto, a questo punto non sapeva a che santo votarsi. E anche se fosse stata possibile, la cosa era tutta da provare. Però, in ogni caso, era una possibilità. E se riusciva a provarlo, aveva tutto. Movente, arma del delitto ed assassino...

Mentre fantasticava, sentì i passi del dottore che si avvicinavano alla porta della camera. E già dai passi, Massimo capì.

Perché il dottor Berton non stava camminando. Stava letteralmente marciando, il più velocemente possibile. E uno non va così spedito se ha delle cattive notizie da dare.

Con ancora più velocità di quanto Massimo non si

fosse immaginato, il Berton entrò nella stanza con dei fogli stampati in mano e un sorriso incredulo stampato in faccia. Fermatosi a metà strada tra la soglia e il letto, guardò Massimo e il sorriso si allargò.

– È tutto scritto qui – disse, e guardò i fogli come temendo che il testo potesse essere sparito all'improvviso. – E collima tutto. Inizia con le vertigini, poi parte il peggio. Si muore per problemi del midollo osseo o per la perdita di fluidi data dalla diarrea. E c'è un'altra cosa.

Massimo guardò il dottore, quasi spaventato.

– Il corpo umano ne contiene circa cinque grammi, in modo naturale. Però, per ammazzare un mammifero ce ne vogliono dei litri. Per ottenere un qualsiasi risultato ce ne vogliono dei litri. Devi prendere uno e fargliene trincare per un paio di settimane. Per cui...

– Per cui...

– Per cui – completò il dottore, per una volta – se ha fatto così, dall'autopsia si vede subito.

Massimo respirò a fondo. Si guardò le mani.

Tremano?

Hai voglia se tremano.

Come prima di un esame. Come prima di ogni esame.

Ora, restava solo una cosa da fare.

Hic Rhodus, hic salta, tanto per rimanere sul classico.

– Ce l'hai il cellulare?

– Eccolo.

– Allora chiama Fusco, immediatamente.

– Lo chiamo io?

Massimo annuì, tentando di sembrare calmo.

– Visto quello che gli dobbiamo chiedere, darà retta più facilmente a te che a me.

E in questo momento, con le mani che mi ritrovo, per fare il numero giusto mi ci vorrebbero dieci tentativi. Va bene l'indagine, ma svegliare nove volte uno sconosciuto alle tre di notte non mi sembra il caso, dài.

Quattordici

– Bene – disse il dottor Berton, dopo aver chiuso la comunicazione con Fusco. – Adesso non ci resta che aspettare.

E guardò Massimo.

– Tocca solo trovare cosa fare nel frattempo.

– Se fossimo in un giallo di serie B – disse il Berton con un sorriso forzato come un rigore alla Juve – adesso probabilmente mi toccherebbe dirti che hai fatto un grosso errore a rimanere solo con me, e che in realtà l'assassino sono io.

– Be', se tu lo fossi, non avresti telefonato a Fusco.

– E chi dice che gli ho parlato davvero?

Massimo guardò male il Berton, che si mise a ridere.

– Dai, sto scherzando. Sto tentando di allentare un pochetto la tensione. Non so se si vede...

Si vede, si vede che ti caghi addosso. Tre minuti fa eri seduto sul letto, dopo un minuto ti sei alzato e hai fatto il giro della stanza quattro volte, e adesso sei a gambe incrociate in terra. Seduto per terra a gambe incrociate in una stanza del reparto di cui sei primario. Sarebbe da foto, se non avessi altro a cui pensare.

– Tu non sembri nervoso.

– Si vede che lo nascondo bene.

– Quando ero al liceo – proseguì il Berton dopo qualche secondo – andavo con i miei amici a vedere i film dell'orrore, per far vedere che ero un vero duro anch'io. In realtà, mi atterrivano. Allora, per non farmi spaventare, pensavo al fatto che quelli erano tutti attori, e che si sarebbero ritrovati alla fine delle riprese tutti insieme per un brindisi beneaugurale. E mi immaginavo il brindisi, con l'assassino che portava le tartine alla prima vittima e insieme parlavano di dove sarebbero andati in vacanza. Pensavo che non era vero niente, e così riuscivo a sopportarlo.

Il Berton si rialzò dalla posa scout e ricominciò a camminare in su e in giù, invidiato da Massimo.

– Ma questa cosa è reale. Anche troppo. Qualsiasi cosa venga fuori, forse ti stupirà, ma quello che sto pensando ora è come fare a sopportarlo. Be', senti, non mi prendere per cinico, ma finché non arriva il commissario ho bisogno di parlare d'altro. Tu che pensi di fare domani?

– Domani? Be', domani prima di tutto torno a casa. Mi faccio una doccia da un'oretta circa e mi riapproprio un po' di casa mia. Poi pensavo di tornare al bar.

– Non devi lavorare, lo sai. Niente spostamenti improvvisi, niente carichi pesanti. Per sollevare qualche carico dovrai aspettare il torneo.

– Scusa?

Il dottor Berton guardò Massimo un po' stupito.

– Il torneo. Il torneo di briscola che c'è domani sera al bar.

– Quale torneo?

– Il torneo che c'è domani al BarLume. L'ho visto due giorni fa, andando a fare colazione. C'era un cartello grosso come una casa. «Il caffè BarLume è lieto di invitarvi alla prima edizione di "Briscola sotto l'olmo". Giovedì sera, alle 21 e 30, torneo di briscola a coppie in giardino». Iscrizione cinque euro, compresa una birra. Il resto non me lo ricordo, ma sembrava divertente. Io ero da solo, ma mi sarebbe piaciuto andare, così mi hanno iscritto in coppia insieme a te. Credevo tu lo sapessi.

Massimo si sentì andare via il sangue dal viso.

Non è possibile. Non ci credo.

Non puoi abbassare un attimo la guardia che questi renitenti alla tomba ti stampano un casino dopo l'altro. Hanno incominciato col tavolo sotto l'olmo. Poi hanno colonizzato il biliardo. Ora il torneo di briscola. Adesso cosa mi devo aspettare? Corso serale di fisarmonica?

Guardò il Berton, che fece una piccola smorfia dispiaciuta.

– Ti ho rovinato la sorpresa, eh? Dai, vedrai che domani ci divertiamo. Io sono una potenza a briscola. Ho una memoria di ferro.

Anch'io. Non mi scordo nulla. Domani lo vedi.

Ma, prima che Massimo incominciasse a pensare a che tipo di tortura sarebbe stata opportuna per Ampelio, nel corridoio si sentì il passo di due persone: quello gemente delle calzature di gomma dell'infermiere Marmugi, e quello breve e impaziente del dottor commissario Fusco. E difatti, dopo qualche secondo, nella stanza entrò l'infermiere cubiforme, seguito da un Fusco che si poté vedere solo in un secondo momento.

– Dottor Berton, c'è qui il signore che aspettavate.

E, senza attendere cenno, se ne andò. Fusco, dopo aver fatto un mezzo giro per permettere all'infermiere di passare, entrò nella stanza e si piazzò nel mezzo.

Ci fu qualche momento di silenzio piuttosto denso. Massimo, dopo essersi tirato su le coperte, incominciò:

– Allora. Innanzitutto, mi devo scusare per averla fatta venire qui a quest'ora. L'unica...

Fusco alzò una mano pelosissima ad imporre silenzio.

– Se quello che mi deve dire è della massima importanza per il caso, non deve scusarsi. Abbiamo già perso vent'anni prima di capire che era un delitto, e adesso non voglio sprecare un secondo di più. Conoscendola, non voglio nemmeno pensare che quello che mi dovete dire non sia fondamentale, quindi... – Fusco si frugò in tasca e ne estrasse un piccolo taccuino e una penna – ... niente scuse, per favore. Avanti.

Massimo rimase in silenzio per qualche secondo. Aveva sempre più l'impressione che Fusco avesse preso la cosa decisamente sul personale. Inoltre, non aveva mai visto Fusco prendere un appunto a mano. La cosa lo distrasse per un attimo, chiedendosi che tipo di calligrafia poteva avere il buon dott. comm. Poi si riprese.

– Le dovrei raccontare una storia. Ma non vorrei essere troppo pedante.

– Non si preoccupi – disse Fusco, da dietro a un sorriso parecchio tirato – a volte fa bene ripetere le cose. E poi abbiamo tutta la notte davanti, no?

– Come vuole lei.

E Massimo, appoggiando bene la testa sul cuscino, cominciò.

– La storia parte da quando un costruttore, chiamiamolo per comodità «il Carratori», viene a sapere che un maneggione della zona, chiamiamolo «il Foresti», avrebbe interesse a comprare la sua tenuta di famiglia, ma non ha abbastanza soldi per acquisirla. Anche il Carratori avrebbe interesse a venderla, questa tenuta, ma è troppo grossa e fuori mercato per poter essere ceduta ad un unico acquirente, e le transazioni a più acquirenti sono sempre un casino. Inoltre, il nostro Carratori ha bisogno di soldi, in teoria per risanare l'azienda di famiglia e farla ripartire, ma potrebbe aver bisogno di soldi anche per altri motivi.

Massimo si assestò meglio sul cuscino. Fusco, che aveva accavallato le gambe, le disaccavallò, poi le accavallò di nuovo.

– Comunque, il nostro è in questa situazione quando gli viene l'idea di poter mettere sul mercato la propria casa con un trucco, e cioè vendendo la nuda proprietà. In questo modo, la casa verrebbe pagata di meno del suo valore, ma lui vedrebbe i soldi subito. E lui, di quei soldi, ne ha bisogno prima che si può. Allora, organizza una messinscena con l'aiuto del suo futuro genero.

Fusco chiuse il taccuino di scatto.

– E questa parte la sappiamo, signor Viviani. Per favore, andiamo al sodo.

– Mi dica lei dov'è il sodo, allora. Io rispondo alle sue domande.

Fusco guardò Massimo cercando di capire se lo stava prendendo in giro. Decise, correttamente, di no. Mentre parlava, riaprì il taccuino e cominciò a tamburellarci sopra con la penna.

– La domanda è sempre la stessa. La morte non è stata causata dalla terapia, perché non c'è stata nessuna terapia. Però a tutti gli effetti l'autopsia rivela che il decesso è avvenuto a causa di un veleno, di un agente distruttivo che ha tutti gli effetti di un chemioterapico. Allora, che cosa ha ucciso Ranieri Carratori? E come gli è stata somministrata?

– In un modo molto appropriato, visto quello che il Carratori aveva messo su. Gli è stata data da bere.

Massimo si sistemò meglio sui cuscini e si rimboccò le coperte. Non perché fosse freddo, ma perché adesso veniva il difficile.

– Oggi è venuta a visitarci Benedetta, che sarebbe la sorella del dottor Calonaci.

Era un'impressione, o a Fusco si erano dilatate le pupille?

– La signorina ci ha raccontato di come suo fratello avesse cominciato ad avere dei sospetti. O, meglio, di come il Calonaci si fosse ormai convinto che gli stavano avvelenando il suocero. Il dottore si era accorto che il suo paziente stava peggiorando a rotta di collo, e sapeva benissimo che non era a causa sua. Per cui, aveva deciso di controllare strettamente il paziente, di non fargli dare nulla se non alla sua presenza e addirittura di analizzare la roba che mangiava e beveva.

Fusco annuì.

– Lo so. La signorina Benedetta è passata da me, oggi, dopo essere stata qui – disse Fusco, calcando lievemente sulla parola «dopo». – Rivederla mi ha fatto un effetto che... – Fusco si passò una mano sulla fronte, arrossendo in modo quasi impercettibile.

E Massimo sorrise.

Già da qualche giorno aveva incominciato a chiedersi quale fosse il reale motivo per cui il buon dottor commissario si era gettato anima e baffi in quella faccenda. Adesso, nel corso degli ultimi due minuti, la ragione era quasi fiorita sotto i suoi occhi.

Fusco, nonostante l'apparenza rigida e il poco spazio a disposizione nell'esigua cassa toracica, aveva un cuore. E questo cuore, chissà da quanto tempo, sognava di dedicarlo alla signorina Benedetta Calonaci.

– Lasciamo perdere – riprese il Fusco, riprendendo simultaneamente il suo normale colorito. – Diciamo solo che voglio arrivare in fondo a questa cosa il prima possibile, e quindi ripartiamo da dove eravamo arrivati. Il dottor Calonaci comincia ad analizzare la roba che il paziente mangia e beve.

– Esatto. Secondo lei che significa?

– Che non si fidava di nessuno.

– Esatto. Di nessuno. Ma a un certo punto le visite vengono ristrette, e limitate ai soli familiari. Allora, in particolare, di chi non si fidava il Calonaci? Di gente dell'ospedale, o di persone della famiglia?

Fusco annuì, stancamente.

– Sì, è la stessa conclusione a cui sono dovuto arrivare anch'io.

Il commissario si alzò, respirò a fondo e cominciò a parlare, apparentemente studiando la scritta «CLINICA SANTA BONA – LITORALE PISANO» sul lenzuolo di Massimo.

– Qualcuno della famiglia, che viene a sapere che il Carratori non ha nessuna intenzione di conservare quanto preso dalla vendita. Anzi, che vuole investire di nuovo il denaro nella ditta, oppure usarlo in un modo qualsiasi che non sia quello che a loro appare naturale.

Pausa.

– Cioè, darlo a loro.

Pausa appena più corta.

– Ai figli.

Fusco tenne lo sguardo fisso sulla scritta, concludendo:

– Mi macero su questo punto da tutto il giorno, e ormai credo che sia difficile non riconoscerlo. Noi guardavamo il Foresti, e intanto... – e senza proseguire si fermò, rimanendo a guardare la scritta, apparentemente senza nemmeno respirare.

Il dottor Berton mosse le gambe, scendendo dal letto: il primo segnale di vita da un quarto d'ora, dato che il dottore si era più o meno smaterializzato da quando la Legge era entrata nella stanza, senza parlare né perturbare l'ambiente in nessun altro modo.

– Il che, se mi è permesso...

Fusco parve svegliarsi, e ritrovò la voce.

– Giusto. Non perdiamo il punto. Il che ci fa ritornare alla domanda di prima. Con cosa è stato ucciso Ranieri Carratori?

Il dottor Berton si schiarì la gola.

– Questo è il motivo per cui l'ho chiamata. E come le ho detto, da qui in poi iniziano le nostre illazioni. Perché per ora si tratta di illazioni. Ma, se abbiamo ragione, l'autopsia le potrà confermare immediatamente che...

– Ho capito. Allora, secondo le vostre illazioni, cosa hanno dato da bere a questo povero cristo?

– Acqua.

Massimo avvertì chiaramente che Fusco aveva di nuovo smesso di respirare, per cui procedette oltre senza indulgere in eccessi di suspense.

– Acqua di un tipo un po' particolare, però. Acqua pesante.

Siccome Fusco non sembrava aver ripreso a respirare, Massimo continuò:

– Acqua che, invece di avere due atomi di idrogeno attaccati ad un ossigeno, ha due atomi di deuterio: invece di un protone, un protone e un neutrone. Un nucleo composto da due elementi.

Massimo alzò un attimo lo sguardo verso Fusco. Vai avanti, gli disse lo sguardo assente del commissario.

– Due è meglio di uno, dice la Bibbia. Questo vale per gli uomini. Per l'acqua, dipende. L'acqua pesante è veramente più pesante dell'acqua standard, il dieci per cento circa, ma per tutti gli altri nostri sensi è indistinguibile. Al gusto, se uno se ne dovesse bere un bicchiere, non se ne accorgerebbe mai.

E Massimo guardò il Berton, passandogli la palla.

– Se uno se ne dovesse bere un bicchiere – riprese il dottore – non se ne accorgerebbe mai, è vero. Ma se uno se ne bevesse un litro e mezzo al giorno, in capo ad una settimana incomincerebbe ad avere dei grossi problemi. L'acqua pesante si sostituirebbe all'acqua standard nei tessuti, e inizierebbe a disfare le pareti cellulari del paziente. Questo tipo di avvelenamento, in medicina, si chiama citotossico, ed è esattamente l'effetto che potrebbe avere una chemioterapia. Per quanto riguarda gli uomini non si hanno dati sicuri, perché certi esperimenti sugli esseri umani, dal 1945 in poi, non si fanno più. Sulla base di quanto visto su alcuni mammiferi si ritiene che, somministrando acqua pesante ad un soggetto in quantità adeguata, quando l'acqua pesante giungesse a sostituire il cinquanta per cento dell'acqua totale del paziente... – il dottor Berton guardò Fusco – il soggetto sarebbe spacciato.

Fusco guardò Massimo e il dottor Berton alternatamente, girando il collo con lentezza, letteralmente senza parole. Massimo, a cui nella giornata l'adrenalina aveva fatto su e giù come un BTP, chiuse gli occhi. Da dietro alle palpebre, sentì Cesare continuare:

– Non abbiamo la certezza che questo sia quello che è realmente successo. Semplicemente, è l'unica cosa che ci viene in mente. Ed è plausibile. Se abbiamo ragione, nei tessuti del defunto ci dovrebbero essere dosi massicce di acqua pesante, e credo che questo sia rilevabile con una analisi chimica senza difficoltà.

Il Berton cominciò a camminare, e Massimo sentì i tacchi del dottore raggiungere la finestra accanto a lui.

– Questa è una analisi che lei ha l'autorità di disporre, credo. Ed è l'unico modo per sapere se abbiamo ragione. Se abbiamo ragione, lo vediamo. Se abbiamo torto, anche. Senza nessuna ambiguità. In poche parole, è una scommessa.

La voce di Fusco arrivò incredula, più che tesa:

– Una scommessa?

Massimo aprì gli occhi. Fusco stava guardando il dottore con la bocca semiaperta e gli occhi spalancati, tanto che si vedeva chiaramente l'intera pupilla. Più che un commissario, sembrava un pesce coi baffi.

– Io sto tentando di trovare prove per un caso di omicidio – ribadì Fusco con tono veramente cattivo – e lei mi parla di scommetterci su?

Il Berton non si scompose. Dopo qualche secondo, parlò con tono tranquillo, ma deciso.

– Io tutti i giorni ho a che fare con delle vite umane, e le tratto scommettendoci su. Non c'è altro modo. Come faccio ad avere la certezza che un ottantenne non mi muoia sotto i ferri mentre gli installo un'anca sintetica? E cosa dovrei fare quando mi mandano uno che ha avuto un incidente stradale e ha una gamba sbriciolata, e contemporaneamente magari rischia la vita? Cosa faccio, gli assicuro una vita da zoppo con un bel taglio pulito pulito sotto il ginocchio oppure tento di salvare il salvabile col rischio che mi tiri la calza mentre gli lavoro la gamba all'uncinetto?

Il dottore guardò Fusco piegando la testa in avanti, da sotto in su, nel gesto classico di chi si assicura di essere stato chiaro.

– Qui, almeno, non corriamo il rischio di uccidere nessuno. Non facciamo nessun danno. Se ci va male, è un atto senza conseguenze. Se ci va bene...

E il dottore allargò le mani di nuovo. Se ci va bene, siamo dei ganzi.

Fusco, mentre Cesare parlava, aveva lentamente chiuso la bocca. Dopo qualche secondo, la riaprì.

– E va bene. Ammettiamo di fare questa scommessa. Prima di giocare, però, vorrei sapere dove secondo voi l'omicida si sarebbe procurato questa roba. Immagino che l'acqua pesante non si trovi facilmente.

– No, non esattamente – disse Massimo. – E questo gioca a nostro favore. Perché se abbiamo ragione l'arma ci indica anche l'assassino.

Massimo tirò giù il lenzuolo, e si sedette sul letto.

– La persona di cui stiamo parlando è in grado di mettere le mani su un grosso quantitativo di acqua pesante. Si parla di decine di litri. E l'unica attività sulla faccia della terra che richieda l'utilizzo di acqua pesante a litri è la produzione di energia nucleare.

Fusco, mentre Massimo parlava, aveva chinato la testa e congiunto le palme delle mani con le dita tese, tentando visibilmente di calmarsi. Quando Massimo disse «energia nucleare», però, tirò su la testa di scatto.

185

Massimo ebbe la certezza che anche Fusco avesse capito. Però, volle essere esplicito lo stesso.

– La persona di cui stiamo parlando è in grado di mettere le mani su un discreto quantitativo di acqua pesante, quindi presumibilmente lavora in un sito nucleare o ha accesso ad un sito nucleare. La stessa persona è, in caso di morte del Carratori, direttamente beneficiaria dell'eredità. Però deve sbrigarsi, perché se aspetta anche solo qualche settimana il Carratori investirà di nuovo i soldi ottenuti dalla vendita della tenuta nella propria ditta. Una ditta che ha grossi problemi ed è destinata a scomparire. E c'è una sola persona che risponde a tutti i nostri requisiti. È figlia del Carratori, lavora nella ditta del Carratori ed ha accesso alla stanza del Carratori quando questo è in ospedale.

E Massimo, detto questo, era già su e si appoggiò al cuscino chiudendo gli occhi. E lasciò a Cesare la soddisfazione di dire:

– La figlia di mezzo, Lagia. La fidanzata di Davide Calonaci.

Epilogo

Inutile negarlo: quando un'idea ti sembra una assurdità totale, e invece alla prova dei fatti funziona alla perfezione, vuol dire che quell'idea è stata opera di un genio.

Questo pensava Massimo, da dietro al bancone, guardando la fiumana di gente dentro e fuori dal bar. E, in automatico, lo sguardo gli andò dritto al cartellone.

«Briscola sotto l'olmo»; scritto a mano da Aldo, con una grafia d'altri tempi ma comunque accattivante. Forse l'aspetto c'entrava qualcosa; forse era solo l'idea, talmente assurda o fuori tempo massimo da incuriosire. Un torneo di briscola: una bolla di anni cinquanta, di pieno boom economico, in un periodo di crisi nera e sanguinante. O forse il fatto che più o meno tutti sanno giocare a briscola, e tutti ci giochiamo in periodi della vita in cui lo stress è un problema degli adulti o un lontano ricordo del passato.

Fatto sta che al torneo si erano iscritte centododici persone.

E altre si erano fermate, nel corso della serata, incuriosite da quell'assembramento di giovani e vecchi che ammiccavano, scartavano, bestemmiavano e sembravano divertirsi parecchio.

E Massimo un incasso del genere, di giovedì, non ricordava di averlo mai nemmeno sognato.

Il torneo si era concluso da un'oretta ormai; trionfatori due pensionati veneti, Roncolato e Zanotti secondo il tabellone, Fulvio e Danilo per tutto il resto del bar già all'inizio del secondo turno. Massimo e Cesare erano arrivati in semifinale, sconfitti proprio dai due longobardi che poi avevano fatto strame anche della coppia regina Griffa-Del Tacca. I quali, al momento, erano impegnati a spiegare al resto del bar i motivi della loro sconfitta, con Tiziana che faceva la finta tonta:

– Ma perché, non è solo fortuna?

– Ma che fortuna e fortuna – disse Aldo. – A briscola bisogna saperci giocare. Prima di tutto, la memoria. È fondamentale ricordarsi che carte sono già uscite, altrimenti non inizi nemmeno a giocare. Poi, devi capire bene il tuo compagno. Devi ricordarti momento per momento quanti punti hai, perché fra gente che sa giocare quasi sempre è l'ultima mano quella che conta. Devi saper fare un minimo di calcolo delle probabilità. Non è mica facile.

– Ho capito. Quindi loro hanno vinto perché sono stati più bravi di voi.

– No, un attimo. Vediamo di essere chiari. Nel caso specifico, loro hanno vinto perché in due mani su cinque hanno avuto più culo che anima.

– Davvero – disse Pilade. – L'è arrivato in mano delle carte che ci vinceva anche una coppia di gorilla. L'altre tre mani sono state parecchio equilibrate, invece. A carte pari, due si son vinte noi, e una loro, sicché guarda, se io la rigiocassi trenta vòrte questa partita...

– Ti ci berresti dietro novanta amari – completò Ampelio. – O la dieta?

– La dieta la ripiglio domani. Gioa' senza be' quarcosa è come anda' ar casino e trovacci dentro ir prete. 'Un te la godi nulla. E comunque...

Il telefono squillò, e Tiziana andò a rispondere.

– E comunque – riprese Pilade – loro due son bravi davvero. Non hanno sbagliato nulla. I veneti, per le carte, vanno lasciati sta'.

– Anche per i bicchieri – disse Aldo. – Tre bottiglie di prosecco in due, si sono seccati. Lei, dottore, l'hanno adottata?

– No. Io stasera, purtroppo, sono reperibile – disse Cesare, sorridendo e sollevando in aria il suo succo d'ananas. – Se la rifate giovedì prossimo, questa cosa, glielo faccio vedere che son veneto anca mi.

– To', qui bisogna chiede' ar capofai – disse Ampelio ridacchiando. – Allora, Massimo, giovedì prossimo cosa si fa?

Eccoci. Grave imbarazzo.

Da una parte, Massimo era tentato. Molto tentato. Da quell'altra, se inizio a dargliele vinte con questa facilità, l'anno prossimo mi ritrovo la festa dell'Unità direttamente dentro al bar. Però, certo, mettendo le cose in chiaro...

A sollevare Massimo dalle ambasce ci pensò Tiziana.

– Massimo al telefono.

– Si fa presto a dire, Massimo al telefono – disse Massimo alzandosi e prendendo le stampelle con studiata inerzia. – Se hanno pazienza. Chi è?

– Commissariato.

Nel silenzio che seguì, Massimo partì verso il telefono come un fondista in volata, e per poco non si frantumò nella vetrinetta. Evitato l'impatto col cristallo, arrivò incespicando nel retrobottega e prese il telefono prima ancora di fermarsi.

– Pronto.

– Pronto, signor Viviani. Sono Fusco.

– Sì. La ascolto.

– La signora ha appena reso piena confessione.

All'altro capo del telefono, la voce di Fusco sembrava trionfante.

– Ci è bastato accennare alla possibilità di riesumare il cadavere e ripetere l'autopsia. E lei, con calma, ci ha chiesto cosa ci aspettavamo di trovare. Acqua pesante, le ho risposto io. La signora ha cambiato letteralmente colore. Da lì in poi...

Da lì in poi, Massimo non ascoltò.

– E questo è quanto – disse Massimo, dopo aver raccontato al resto dell'uditorio la fine della storia. – La signora Lagia, come vi dicevo, ha confessato stasera stessa.

Il bar, ormai, era vuoto. Massimo aveva tirato giù a metà la serranda, e dentro il locale erano rimasti in sette: quattro pensionati, un barrista, una banconista e un chirurgo.

– Una cosa me la devi spiega', Massimo.

– Eccomi.

– Come t'è venuta in mente questa storia dell'acqua pesante?

Massimo ridacchiò.

– Tutto merito di Aldo.

– Mio? Io manco so cos'è, l'acqua pesante. Ho già quella leggera, per lavarsi e per i fiori va benissimo.

– Sei stato tu a portarmi in ospedale l'Ecclesiaste. Lì, leggendo, mi sono imbattuto in un passo famoso. In quella traduzione è scritto che i due sono meglio dell'uno, ma io me lo ricordavo in un altro modo. Due è meglio di uno, mi ricordavo.

Non potendo alzarsi per camminare su e giù per il bar, Massimo cominciò a picchiettare la stampella.

– Mentre mi chiedevo se era davvero sempre così, mi sono fermato a pensare che ultimamente te con la Bibbia rompi parecchio le scatole. Recentemente, ho pensato, ha citato il Deuteronomio. E lì, tanto per rimanere in argomento, mi è arrivata una sassata in testa.

Massimo prese un sorso di rum. Sarà il terzo, stasera. Devo scalare una montagna, domani? No, devo aprire il bar. E allora bevi.

– Deuteronomio. Deuterio. Mi sono sorpreso a pensare che l'ossido di deuterio, cioè l'acqua pesante, ha praticamente le stesse caratteristiche dell'acqua normale. In particolare le caratteristiche elettroniche, oltre a quelle di forma e dimensione. Tradotto in soldoni, da un punto di vista sensoriale dovrebbe essere indistinguibile. Avere anche lo stesso sapore. Chissà, mi sono chiesto, se è anche velenosa?

Pausa, altro sorsino.

– Qui la mia povera chimica era veramente troppo scarsa per rispondermi. Una persona normale avrebbe aspettato il giorno dopo e avrebbe fatto qualche domanda con cautela. Io, che stavo da una settimana in un lettino di ferro del menga, in quel momento non ero troppo normale. E ho avuto la certezza che la mia intuizione fosse giusta. A quel punto ho telefonato a Cesare. E il resto lo sapete.

Tutti si voltarono verso il dottore.

In piedi, Cesare Berton stava a capo chino sul suo succo d'ananas; dopo un momento, alzò la testa e disse:

– Non sono sicuro di come mi sento.

– De' – disse Ampelio – se va avanti a be' quella roba lì, di siùro non migliora.

– Ha ragione. Il problema, lo dicevo prima, è che stasera sono reperibile.

Dopo un attimo, Aldo si alzò e andò dietro il bancone. Prese un tumbler, ci versò un dito di rum e lo mise di fronte al dottore.

– Dia retta a me – disse Aldo, mettendogli una mano su una spalla. – Stasera farebbe bene il suo lavoro anche se gliela facessi bere tutta.

Il Berton guardò Aldo, e senza nemmeno annuire buttò giù il rum in un solo sorso.

Mentre il dottore tossicchiava, Aldo guardò Massimo e riempì di nuovo il bicchiere anche a lui.

– Bevici sopra, vai. Tanto hai avuto un culo di nulla – disse mentre il liquido scendeva. – Quella storia della chemioterapia, soprattutto. Al signorino viene in mente che il Carratori non poteva essere sotto terapia perché è convinto che la chemioterapia sia sempre a base di roba radioattiva.

– E ci ho imbroccato.

– Sì, va bene, ci hai imbroccato. Però, se non è culo questo, dimmi te. Non avevi idea di cosa tu stessi dicendo, e hai fatto la scelta giusta solo per ignoranza. Dimmi te quante possibilità c'erano.

E lì il dottor Berton ridacchiò.

– Molte più di quante pensate – disse, con l'aria di chi ha ragione.

– Massimo ha preso la decisione giusta per ignoranza – disse Cesare, appoggiando la schiena alla sedia. – Occhio: non ha preso la decisione giusta *nonostante* fosse ignorante, ma proprio *per il fatto* di essere ignorante in materia. Qui si parla di decisioni intuitive. E quando si parla di decisioni intuitive, l'ignoranza aiuta a prendere la decisione giusta.

– L'ignoranza aiuta a prendere la decisione giusta? – ridacchiò Ampelio. – Cos'è, il nuovo slogan della Lega?

– Tutto al contrario, è una cosa seria.

Il Berton porse ad Aldo il bicchiere, annuendo con autorità. Aldo eseguì, e il resto del bar approvò in silenzio, visto che il rum sembrava aver fatto decisamente bene al dottore.

– Alcuni anni fa – riprese Cesare, dopo una piccola sorsata – un famoso neurologo tedesco, tale Gerd Gigerenzer, pose a qualche decina di migliaia di studenti universitari tedeschi la seguente domanda: quale città è più grossa, Detroit o Milwaukee?

– Detroit – disse Aldo alzando le spalle.

– Bravo. Promosso. Anche gli studenti tedeschi risposero così. E risposero bene, praticamente senza eccezioni.

De', ci vòle la scienza, disse lo sguardo dei vegliardi.

– Quando fece la stessa domanda a un gruppo di studenti pari grado *statunitensi*, però, successe una cosa strana: circa il quaranta per cento di loro dette la risposta sbagliata. Milwaukee.

– De', che l'ameriani son più ignoranti dell'europei è roba nota – ricordò Ampelio.

– Assolutamente sbagliato. Gli studenti americani, a domande precise, sapevano molte cose di entrambe le città. Gli europei, invece, sapevano pochissimo di Detroit, e molti di loro ignoravano che esistesse una città che si chiama Milwaukee. È proprio questo il nocciolo della questione: l'ignoranza.

Il Berton rese onore ai propri natali finendo anche il secondo rum con un sorso deciso, e continuò:

– Gli studenti tedeschi hanno applicato inconsciamente la prima regola dell'intuizione, ovvero l'euristica del riconoscimento: se riconosci il nome di una delle due città, ma non quello dell'altra, puoi inferire che la città di cui conosci il nome sia più grossa dell'altra. Gli studenti americani, invece, avevano sentito parlare delle due città un gran numero di volte, e non erano in grado di usare questa regola. In una situazione del genere, cioè fare una scelta semplice che riguarda un sistema complesso, l'ignoranza aiuta. E questo caso lo dimostra. Massimo ha avuto un'intuizione che io, che faccio il medico da un bel po' di anni, non avrei mai potuto avere. Perché a me non sarebbe mai venuto in mente che qualcuno avesse mai tentato di curare un tumore alla prostata con lo stronzio radioattivo.

Mentre Cesare parlava, Massimo si sentì pervadere da una sensazione di trionfo.

Non per il risultato, o meglio, non solo.

Massimo si sentì trionfante perché si rese conto che, dopo una caterva di anni, aveva scommesso su qualcosa. Senza troppi calcoli, senza troppe verifiche, senza stare a guardare cosa poteva succedere in caso di errore, aveva guardato in faccia il problema e gli aveva proposto di giocare alla carta più alta. Chi la prende vince. Una cosa che non faceva più da una vita, se non per gioco, di fronte alla cassa. E aveva vinto.

Se ci fossi stato a pensare, non ci sarei mai arrivato. E se anche ci fossi arrivato, prima di proporre questa cosa ci avrei pensato una vita. E invece, mi sono fidato di me stesso e di quelli che avevo intorno. Anche di una persona che conoscevo da nemmeno una settimana. Soprattutto di una persona che conoscevo da una settimana. Be', dovrebbe servirmi di lezione. Ogni tanto, vale la pena di provare a mettere la testa fuori dal guscetto. A questo proposito...

– A proposito, Aldo...

– Sì?

– Scusa se salto di palo in frasca, ma poi cos'hai deciso di fare col Foresti?

– Ah, col Foresti? Mi sa che accetto, a questo punto. La storia del posto ormai è assodata, e la persona a cui insegnare l'ho trovata. È brava, giovane, intelligente e le piace mangiare. In più la conosco da un pezzo, e mi fido di lei. D'altronde, ti fideresti anche te. Anzi, ti sei fidato anche te. Più di una volta.

Massimo, di prima intenzione, voltò lo sguardo verso Tiziana.

Tiziana diventò rossa come un peperone.

E Massimo capì che, di lì a poco, gli sarebbero toccati di nuovo i curricula. E, sorprendendosi di se stesso, sorrise.

Più bona di te, pensò, sarà difficile. Però, magari, una a cui non dispiacciono i quarantenni...

Vecchiano, 3 ottobre 2011

Per finire

Sono costretto a ringraziare molte persone per questo libro.

Laura Caponi, che oltre a leggere il manoscritto con la sua pazienza certosina ha sezionato la parte medica senza pietà, trovando un errore atroce e suggerendomi il modo di rimediarlo. Se ancora permanessero assurdità a livello medico, la colpa deve essere addebitata solo a me.

Cristiano Birga, che mi ha spiegato che cosa può fare la polizia quando qualcuno riceve lettere anonime.

Mimmo Tripoli e Liana Brozzi (mia suocera), che mi hanno segnalato errori marchiani; allo stesso modo a Virgilio, Serena, Letizia e tutti i miei concittadini virtuali di Olmo Marmorito (Davide, Elena, Sara, Massimo, Olmo, il S'Indaco e in particolar modo Lentini), che hanno letto, approvato, disapprovato, corretto, vanno i sensi della mia più alta gratitudine.

Fulvio Baldo, che con la sua costante e amorevole fornitura di Curazìa, di Merlot e di altri prodotti in bottiglia ha contribuito al mio benessere e alla mia ispirazione.

La storia di questo libro è nata chiacchierando, a cena, con Virgilio, Serena, Mimmo, Letizia e Samantha, in un'epoca in cui i rispettivi pargoli erano ancora sotto anestesia amniotica e potevamo fare discorsi più lunghi di sei secondi. Senza queste persone, le mie storie e il mio gusto di raccontarle non esisterebbero, e questo semplice ringraziamento non rende l'idea di quanto debba loro.

Infine, un grazie specifico ed enorme a Samantha e a Leonardo. Non credo sia necessario spiegarvi il perché, vero?

Indice

La carta più alta

Questo volume è stato stampato
su carta Palatina
delle Cartiere Miliani di Fabriano
nel mese di gennaio 2012
presso la Leva Arti Grafiche s.p.a. - Sesto S. Giovanni (MI)
e confezionato
presso IGF s.p.a. - Aldeno (TN)

La memoria